20,00
SOC

Roberto DaMatta

E 6768

O que faz o brasil, Brasil?

Rocco

Direitos desta edição reservados à
EDITORA ROCCO LTDA.
Rua Rodrigo Silva, 26 — 5º andar
20011-040 — Rio de Janeiro, RJ
Tel.: 507-2000 — Fax: 507-2244

Printed in Brazil/Impresso no Brasil

ilustrações
JIMMY SCOTT

Em memória de Francisca Schurig Vieira Keller; minha saudosa amiga que tantas vezes fez a pergunta deste livro;

Em memória de Daniel Rodrigues, na sua generosidade portuguesa e brasileira;

Para D. Dalila Pereira da Costa, Agostinho da Silva e D. Maria Violante, todos portugueses, todos brasileiros;

E para Almir Bruneti, na sua nobre hospitalidade.

Índice

1

O que faz o brasil, Brasil? A questão da identidade

Devo começar explicando o meu enigmático título. É que será preciso estabelecer uma distinção radical entre um "brasil" escrito com letra minúscula, nome de um tipo de madeira de lei ou de uma feitoria interessada em explorar uma terra como outra qualquer, e o Brasil que designa um povo, uma nação, um conjunto de valores, escolhas e ideais de vida. O "brasil" com o b minúsculo é apenas um objeto sem vida, autoconsciência ou pulsação interior, pedaço de coisa que morre e não tem a menor condição de se reproduzir como sistema; como, aliás, queriam alguns teóricos sociais do século XIX, que viam na terra — um pedaço perdido de Portugal e da Europa — um conjunto doentio e condenado de raças que, misturando-se ao sabor de uma natureza exuberante e de um clima tropical, estariam fadadas à degeneração e à morte biológica, psicológica e social. Mas o Brasil com B maiúsculo é algo muito mais complexo. É país, cultura, local geográfico, fronteira e território reconhecidos internacionalmente, e também casa, pedaço de chão calçado com o calor de nossos corpos, lar, memória e consciência de um lugar com o qual se tem uma ligação especial, única, totalmente sagrada. É igualmente um tempo singular cujos eventos são exclusivamente seus, e também temporalidade que pode ser acelerada na festa do carnaval; que pode ser detida na morte e na memória e que pode ser trazida de volta na boa recordação da saudade. Tempo e temporalidade de ritmos localizados e, assim, insubstituíveis. Sociedade onde pessoas seguem certos valores e julgam as ações humanas dentro de um padrão somente seu. Não se trata mais de algo inerte, mas de uma entidade viva, cheia de auto-reflexão e consciência: algo que se soma e se alarga para o futuro e para o passado, num movimento próprio que se chama História. Aqui, o Brasil é um ser parte conhecido e parte misterioso, como um grande e poderoso espírito. Como um Deus que está em todos os lugares e em nenhum, mas que também precisa dos homens para que possa se saber superior e onipotente. Onde quer que haja um brasileiro adulto, existe com ele o Brasil e, no entanto — tal como acontece com as divindades — , será preciso produzir e provocar a sua manifestação para que se possa sentir sua concretude e seu poder. Caso contrário, sua presença é tão inefável como a do ar que se respira, e dela não se teria consciência a não ser pela comparação, pelo contraste e pela percepção de algumas de suas manifestações mais contundentes. Os deuses, conforme sabemos, existem somente para serem vistos em certos momentos e dentro de certas molduras. O mesmo ocorre com as sociedades. Geralmente, estamos habituados a tomar conhecimento das sociedades — e, sobretudo, da *nossa* sociedade — por meio de suas manifestações mais oficiais e mais nobres. Tal como ocorre às divindades, que só são encontradas nas igrejas, também as sociedades só são normalmente percebidas quando surgem nas suas vozes mais "cultas". Para os tradicionalistas, aqueles que têm olhos e não vêem, os deuses se acham nos sacrários, nas capelas e nos livros sagrados de reza e devoção. Para os observadores menos imaginativos e sensíveis, uma sociedade está nas suas ciências, letras e artes. A visão oficial contradiz a voz, a visão do povo e, ainda, a experiência da condição humana que, generosamente, enxerga Deus em toda parte: no rito pomposo e solene da catedral e na visão tresloucada do místico, nu e faminto em sua cela de preocupações com o destino dos homens e sobrecarregado pelo peso fantástico dos múltiplos sentidos desta vida.

Neste livro, com ajuda de uma Antropologia Social praticada com destemor e que proporciona uma visão da sociedade aberta e relativizada pela comparação, queremos examinar alguns aspectos da sociedade brasileira que o povo encara e certamente ama como uma divindade. Porque aqui, como lá, o Brasil está em toda parte. Nas leis e nas nobres artes da política e da economia, das quais temos que falar sempre num idioma oficial e dobrando a língua; mas também na comida que comemos, na roupa que vestimos, na casa onde moramos e na mulher que amamos e adoramos. Para essa perspectiva, o Brasil deve ser procurado nos rituais nobres dos palácios de justiça, dos fóruns, das câmaras e das pretorias — onde a letra clara da lei define suas instituições mais importantes; mas também no jeitinho malandro que soma a lei com a pessoa na sua vontade escusa de ganhar, embora a regra fria e dura como o mármore da Justiça não a tenha tomado em consideração. Aqui, portanto, o Brasil está em toda parte: ou melhor, pode ser encontrado em toda parte. O erro foi procurá-lo onde ele não gostava de estar, ou simplesmente não podia nem devia estar. Como se uma sociedade pudesse ser definida como uma máquina: a partir de uma planta de engenharia dada de fora.

Na certeza de que as visões do Brasil a partir de suas coisas oficiais, sagradas, sérias e legais são as mais correntes e familiares, quero aqui revelá-lo por meio de outros ângulos e de outras questões. Não se trata mais da visão exclusivamente oficial e bem-comportada dos manuais de história social que se vendem em todas as livrarias, e os professores discutem nas escolas. Mas de uma leitura do Brasil que deseja ser maiúsculo por inteiro: o BRASIL do povo e das suas coisas. Da comida, da mulher, da religião que não precisa de teologia complicada nem de padres estudados. Das leis da amizade e do parentesco, que atuam pelas lágrimas, pelas emoções do dar e do receber, e dentro das sombras acolhedoras das casas e quartos onde vivemos o nosso quotidiano. Dos jogos espertos e vivos da malandragem e do carnaval, onde podemos vadiar sem sermos criminosos e, assim fazendo, experimentamos a sublime marginalidade que tem hora para começar e terminar. Deste Brasil que de algum modo se recusa a viver de forma totalmente planificada e hegemonicamente padronizada pelo dinheiro das contas bancárias ou pelos planos qüinqüenais dos ministérios encantados pelos vários tecnocratas e ideólogos que aí estão à espera de um chamado. BRASIL com maiúsculas, que sabe tão bem conjugar lei com grei, indivíduo com pessoa, evento com estrutura, comida farta com pobreza estrutural, hino sagrado com samba apócrifo e relativizador de todos os valores, carnaval com comício político, homem com mulher e até mesmo Deus com o Diabo. Por tudo isso é que estamos interessados em responder, nas páginas que seguem, esta pergunta que embarga e que emociona: afinal de contas, o que faz o brasil, BRASIL?

Note-se que se trata de uma pergunta relacional que, tal como faz a própria sociedade brasileira, quer juntar e não dividir. Não queremos ver um Brasil pequeno e outro grande, já feito. Não! Queremos, isto sim, descobrir como é que eles se ligam entre si; como é que cada um depende do outro, e como os dois formam uma realidade única que existe concretamente naquilo que chamamos de "pátria". Numa linguagem mais precisa e mais sociológica, dir-se-ia que o primeiro "brasil" é dado nas possibilidades humanas, mas que o segundo Brasil é feito de uma combinação especial dessas possibilidades universais. O mistério dessa escolha é imenso, mas a relação é importante. Porque ela define um estilo, um modo de ser, um "jeito" de existir que, não obstante estar fundado em coisas universais, é exclusivamente brasileiro. Assim, o ponto de partida deste ensaio é o seguinte: tanto os homens como as sociedades se definem por seus estilos, seus modos de fazer as coisas. Se a condição humana determina que todos os homens devem comer, dormir, trabalhar, reproduzir-se e rezar, essa determinação não chega ao ponto de especificar também que comida ingerir, de que modo produzir, com que mulher (ou homem) acasalar-se e para quantos deuses ou espíritos rezar. É precisamente aqui, nessa espécie de zona indeterminada, mas necessária, que nascem as diferenças e, nelas, os estilos, os modos de ser e estar, os "jeitos" de cada qual. Porque cada grupo humano, cada coletividade concreta, só pode pôr em prática algumas dessas possibilidades de atualizar o que a condição humana apresenta como universal. As restantes ficam como uma espécie de fantasma a nos recriminar pelo fato de as termos deixado nos bastidores, como figuras banidas de nosso palco, embora estejam de algum modo presentes na peça e no teatro.

No fundo, essa questão do relacionamento dos universais de qualquer sistema com um sistema específico é das mais apaixonantes de quantas existem no panorama das Ciências Humanas. Trata-se, sempre, da questão da identidade. De saber quem somos e como somos; de saber por que somos. Sobretudo quando nos damos conta de que o homem se distingue dos animais por ter a capacidade de se identificar, justificar e singularizar: de saber quem ele é. De fato, a identidade social é algo tão importante que o conhecer-se a si mesmo através dos outros deixou os livros de filosofia para se constituir numa busca antropologicamente orientada. Mas o mistério, como se pode adivinhar, não fica na questão do saber quem somos. Pois será necessário descobrir como construímos nossas identidades. Sei que sou José da Silva, brasileiro, casado, funcionário público, torcedor do Flamengo, carnavalesco da Mangueira, apreciador incondicional das mulatas, católico e umbandista; jogador esperançoso e inveterado da loto, porque acredito em destino — e não outra pessoa qualquer. Em sendo José, não sou Napoleão ou William Smith, cidadão americano de Nova York; ou Ivan Ivanovich, patriota soviético. Posso distinguir-me assim porque me associo intensamente a uma série de atributos especiais e porque com eles e através deles formo uma história: a minha história. Mas como é que sei o que sou? Como posso discutir a passagem do ser humano que nasci para o brasileiro que sou?

Como se constrói uma identidade social? Como um povo se transforma em Brasil? A pergunta, na sua discreta singeleza, permite descobrir algo muito importante. É que no meio de uma multidão de experiências dadas a todos os homens e sociedades, algumas necessárias à própria sobrevivência, como comer, dormir, morrer, reproduzir-se etc., outras acidentais ou superficiais: históricas, para ser mais preciso — o Brasil foi descoberto por portugueses e não por chineses, a geografia do Brasil tem certas características como as montanhas na costa do Centro-Sul, sofremos pressão de certas potências européias e não de outras, falamos português e não francês, a família real transferiu-se para o Brasil no início do século XIX etc. Cada sociedade (e cada ser humano) apenas se utiliza de um número limitado de "coisas" (e de experiências) para construir-se como algo único, maravilhoso, divino e "legal"...

Sei, então, que sou brasileiro e não norte-americano, porque gosto de comer feijoada e não hambúrguer; porque sou menos receptivo a coisas de outros países, sobretudo costumes e idéias; porque tenho um agudo sentido de ridículo para roupas, gestos e relações sociais; porque vivo no Rio de Janeiro e não em Nova York; porque falo português e não inglês; porque, ouvindo música popular, sei distinguir imediatamente um frevo de um samba; porque futebol para mim é um jogo que se pratica com os pés e não com as mãos; porque vou à praia para ver e conversar com os amigos, ver as mulheres e tomar sol, jamais para praticar um esporte; porque sei que no carnaval trago à tona minhas fantasias sociais e sexuais; porque sei que não existe jamais um ''não'' diante de situações formais e que todas admitem um ''jeitinho'' pela relação pessoal e pela amizade; porque entendo que ficar malandramente ''em cima do muro'' é algo honesto, necessário e prático no caso do meu sistema; porque acredito em santos católicos e também nos orixás africanos; porque sei que existe destino e, no entanto, tenho fé no estudo, na instrução e no futuro do Brasil; porque sou leal a meus amigos e nada posso negar a minha família; porque, finalmente, sei que tenho relações pessoais que não me deixam caminhar sozinho neste mundo, como fazem os meus amigos americanos, que sempre se vêem e existem como indivíduos!

Pois bem: somando esses traços, forma-se uma seqüência que permite dizer quem sou, em contraste com o que seria um americano, aqui definido pelas ausências ou negativas que a mesma lista efetivamente comporta. A construção de uma identidade social, então, como a construção de uma sociedade, é feita de afirmativas e de negativas diante de certas questões. Tome uma lista de tudo o que você considera importante — leis, idéias relativas a família, casamento e sexualidade; dinheiro; poder político; religião e moralidade; artes; comida e prazer em geral — e com ela você poderá saber quem é quem. Não é de outro modo que se realizam as pesquisas antropológicas e sociológicas. Descobrindo como as pessoas se posicionam e atualizam as ''coisas'' desta lista, você fará um ''inventário'' de identidades sociais e de sociedades. Isso lhe permitirá descobrir o estilo e o ''jeito'' de cada sistema. Ou, como se diz em linguagem antropológica, a cultura ou ideologia de cada sociedade. Porque, para mim, a palavra cultura exprime precisamente um estilo, um modo e um jeito, repito, de fazer coisas.

Mas é preciso não esquecer que essas escolhas seguem

uma ordem. É certo que eu inventei um "brasileiro" e um "americano" que o acompanhava por contraste linhas atrás, mas quem me garante que aquilo que disse é convincente para definir um brasileiro foi a própria sociedade brasileira. Ou seja: quando eu defini o "brasileiro" como sendo amante do futebol, da música popular, do carnaval, da comida misturada, dos amigos e parentes, dos santos e orixás etc., usei uma fórmula que me foi fornecida pelo Brasil. O que faz um ser humano realizar-se concretamente como brasileiro é a sua disponibilidade de ser assim. Caso eu falasse em elegância no vestir e no falar, no gosto pelas artes plásticas, na visita sistemática a museus, no amor pela música clássica, na falta de riso nas anedotas, no horror ao carnaval e ao futebol etc., certamente estaria definindo outro povo e outro homem. Isso indica claramente que é a sociedade que nos dá a fórmula pela qual traçamos esses perfis e com ela fazemos desenhos mais ou menos exatos.

Tudo isso nos leva a descobrir que existem dois modos básicos de construir a identidade brasileira: o de fazer o brasil, Brasil...

Num deles, utilizamos dados precisos: as estatísticas demográficas e econômicas, os dados do PIB, PNB e os números da renda *per capita* e da inflação, que sempre nos assusta e apavora. Falamos também dos dados relativos ao sistema político e educacional do país, apenas para constatar que o Brasil não é aquele país que gostaríamos que fosse. Essa classificação permite construir uma identidade social moderna, de acordo com os critérios estabelecidos pelo Ocidente europeu a partir da Revolução Francesa e da Revolução Industrial. Aqui, somos definidos por meio de critérios "objetivos", quantitativos e claros. É assim, sabemos e descobrimos com surpresa, que algumas sociedades se definem. Realmente, a Inglaterra, a França, a Alemanha e, sobretudo, os Estados Unidos são quase exclusivamente definidos por meio deste eixo classificatório que é, ele mesmo, invenção sua. Mas, no caso do Brasil e de outras sociedades, o problema é que existe outro modo de classificação. A identidade se constrói duplamente. Por meio dos dados quantitativos, onde somos sempre uma coletividade que deixa a desejar; e por meio de dados sensíveis e qualitativos, onde nos podemos ver a nós mesmos como algo que vale a pena. Aqui, o que faz o brasil, Brasil não é mais a vergonha do regime ou a inflação galopante e "sem vergonha", mas a comida deliciosa, a música envolvente, a saudade que humaniza o tempo e a morte, e os amigos que permitem resistir a tudo...

É uma descoberta importante, creio, dizer que nós temos dado muito mais atenção a um só desses eixos classificatórios, querendo discutir o Brasil apenas como uma questão de modernidade e de economia e política; ou, ao contrário, reduzindo sua realidade a um problema de família, de relações pessoais e de cordialidade. Para mim, não se trata nem de uma coisa nem de outra, mas das duas que são dadas de modo simultâneo e complexo. Nessa perspectiva, que é a deste pequeno livro, a chave para entender a sociedade brasileira é uma chave dupla. De um lado, ela é moderna e eletrônica, mas de outro é uma chave antiga e trabalhada pelos anos. É típica de nosso sistema essa capacidade de misturar e acasalar as coisas que tenho discutido no meu trabalho como uma atividade relacional, de ligar e descobrir um ponto central. Conhecemos e convivemos com suas manifestações políticas (a negociação e a conciliação) e econômicas (uma economia que é estatizante e ao mesmo tempo segue as linhas mestras do capitalismo clássico), mas de certo modo não discutimos as suas implicações sociológicas mais profundas. E, para mim, essas implicações se escondem nesta ligação — ou capacidade relacional — do antigo com o moderno, que tipifica e singulariza a sociedade brasileira. Assim, conforme tentarei mostrar nas páginas que seguem — e com a ajuda do talento gráfico de Jimmy Scott —, o que faz o brasil, Brasil é uma imensa, uma inesgotável criatividade acasaladora. Sustento que, enquanto não formos capazes de discernir essas duas faces de uma mesma nação e sociedade, estaremos fadados a um jogo cujo resultado já se sabe de antemão. Pois, como ocorre com as moedas, ou teremos como jogada um "brasil", pequeno e defasado das potências mundiais, Brasil que nos leva a uma autoflagelação desanimadora; ou teremos como jogada o Brasil dos milagres e dos autoritarismos políticos e econômicos, que periodicamente entra numa crise.

Será preciso, portanto, discutir o Brasil como uma moeda. Como algo que tem dois lados. E mais: como uma realidade que nos tem iludido, precisamente porque nunca lhe propusemos esta questão relacional e reveladora: afinal de contas, como se ligam as duas faces de uma mesma moeda? O que faz o brasil, Brasil?

É o que veremos a seguir...

2

A casa, a rua e o trabalho

Observe-se uma cidade brasileira. Nela, há um nítido movimento rotineiro. Do trabalho para casa, de casa para o trabalho. A casa e a rua interagem e se complementam num ciclo que é cumprido diariamente por homens e mulheres, velhos e crianças. Pelos que ganham razoavelmente e até mesmo pelos que ganham muito bem. Uns fazem o percurso casa-rua-casa a pé; outros seguem de bicicleta. Muitos andam de trens, ônibus e automóveis, mas todos fazem e refazem essa viagem que constitui, de certo modo, o esqueleto da nossa rotina diária. Há uma divisão clara entre dois espaços sociais fundamentais que dividem a vida social brasileira: o mundo da casa e o mundo da rua — onde estão, teoricamente, o trabalho, o movimento, a surpresa e a tentação.

É claro que a rua serve também como o espaço típico do lazer. Mas ela, como um conceito inclusivo e básico da vida social — como "rua" —, é o lugar do movimento, em contraste com a calma e a tranqüilidade da casa, o lar e a morada.

De fato, na casa ou em casa, somos membros de uma família e de um grupo fechado com fronteiras e limites bem-definidos. Seu núcleo é constituído de pessoas que possuem a mesma substância — a mesma carne, o mesmo sangue e, conseqüentemente, as mesmas tendências. Tal substância física se projeta em propriedades e muitas outras coisas comuns. A idéia de um destino em conjunto e de objetos, relações, valores (as chamadas "tradições de família") que todos do grupo sabem que importa resguardar e preservar. Disse que isso se chamava "tradição", e é assim que normalmente falamos desses símbolos coletivos que distinguem uma residência, dando-lhe certo estilo e certa maneira de ser e estar. Mas tais valores podem também ser chamados de "honra" e "vergonha", pois as famílias bem-definidas e com alto sentido de casa e grupo são coletividades que atuam com uma personalidade coletiva bem-definida. De tal ordem que elas são uma "pessoa moral", algo que age unitária e corporativamente, como um indivíduo entre outros. Daí a idéia tão corrente, mesmo no nosso Brasil urbano e moderno, da proteção das fronteiras da casa, seja de suas soleiras materiais (quem não está preocupado com o fechamento de suas portas e janelas todas as noites?), seja — principalmente — de suas entradas e saídas morais. Por tudo isso, o grupo que ocupa uma casa tem alto sentido de defesa de seus bens móveis e imóveis, e, junto com isso, da proteção de seus membros mais frágeis, como as crianças, as mulheres e seus servidores. Pois, diferentemente de outros países modernos, aqui no Brasil as casas possuem serviçais que, em certo sentido, lhes pertencem. E cuida-se de seu bem-estar porque a idéia de residência é um fato social totalizante, conforme diria Márcel Mauss. Ou seja: quando falamos da "casa", não estamos nos referindo simplesmente a um local onde dormimos, comemos ou que usamos para estar abrigados do vento, do frio ou da chuva. Mas — isto sim — estamos nos referindo a um espaço profundamente totalizado numa forte moral. Uma dimensão da vida social permeada de valores e de realidades múltiplas. Coisas que vêm do passado e objetos que estão no presente, pessoas que estão saindo deste mundo e pessoas que a ele estão chegando, gente que está relacionada ao lar desde muito tempo e gente que se conhece de agora. Não se trata de um lugar físico, mas de um lugar moral: esfera onde nos realizamos basicamente como seres humanos que têm um corpo físico, e também uma dimensão moral e social. Assim, na casa, somos únicos e insubstituíveis. Temos um lugar singular numa teia de relações marcadas por muitas dimensões sociais importantes, como a divisão de sexo e de idade.

Mas se em casa somos classificados pela idade e pelo sexo como, respectivamente, mais velhos ou mais moços e como homens e mulheres — e aqui temos dimensões sociais que são provavelmente as primeiras que aprendemos na sociedade brasileira —, nela somos também determinados por tudo o que a "honra", a "vergonha" e o "respeito", esses va-

lores grupais, acabam determinando. Quero referir-me ao amor filial e familial que se deve estender pelos compadres e pelos amigos, para quem as portas de nossas casas estão sempre abertas e nossa mesa está sempre posta e farta.

A conjunção de tudo isso faz com que nós, brasileiros, tenhamos uma percepção de nossas moradas como lugares singulares, espaços exclusivos. Pois cada casa, embora tenha os mesmos espaços e basicamente os mesmos objetos de todas as outras, é diferente delas. Todas são únicas, se não como espaço físico de morada, pelo menos como domínio onde se realiza uma convivialidade social profunda. Daí a possibilidade de diferenciar profundamente a casa ou a morada — o prédio — do lar. Mesmo quando são residências baratas ou casas de vila, construídas de modo idêntico, algo marca e revela sua identidade e, com isso, a identidade do grupo que a ocupa: um pedaço de azulejo estrategicamente colocado próximo de uma janela; um nome singelo na parte de cima da soleira da porta; flores e jardins; a cor de suas janelas e portas.

Por ser um espaço assim inclusivo e, simultaneamente, exclusivo, a casa pode ter também seus agregados. Pessoas que vivem no domicílio, mas que não são parte da família. Um parente que veio do Norte em busca de médico ou segurança psicológica; um amigo em dificuldade financeira ou crise matrimonial; um velho empregado que não tem para onde ir nem lugar para ficar; um compadre que precisa de emprego e necessita falar com uma autoridade da grande cidade; um amigo que precisa de um santuário para evitar a prisão motivada por idéias e convicções políticas; uma mulher que temporariamente foge do pai ou irmão para acertar definitivamente sua nova filiação social. Até mesmo os animais domésticos podem incluir-se nessa definição, pois de fato participam do espaço positivo da residência, ajudando a conceituá-la de modo socialmente positivo ou negativo. Não é à toa que falamos que nosso cachorro é mais manso e mais esperto; que nosso gato tem o pêlo mais luzidio e a preguiça mais bonita e gostosa, e que nosso passarinho canta mais bonito e mais alto...

Tudo, afinal de contas, que está no espaço da nossa casa é bom, é belo e é, sobretudo, decente. Até mesmo as nossas plantas são mais viçosas que as dos vizinhos e amigos. E como não podemos, por causa de uma proibição extremamente moral (aquilo que nós, antropólogos, chamamos de *tabu*), comer nossos animais domésticos (noto que entre os astecas os cães eram comidos e vendidos no mercado), nem nossas plantas caseiras, eles cumprem uma função estritamente simbólica. De fato, são criados para diferenciar e não para cumprir qualquer função prática. Assim, são como nós e nos ajudam a estabelecer nossa mais profunda identidade social, como membros indiferenciados de um mundo anônimo e asfaltado onde ninguém conhece ninguém — esse mundo tenebroso da selva de pedra; e como membros diferenciados que residem numa dada parte da cidade e que podem transformar esse local onde moram em algo único, especial, singular e "legal". Tudo isso, repito, que nós diferenciamos como o espaço do lar. Algo que contrasta terrivelmente com a morada coletiva das prisões, dormitórios, alojamentos e hotéis e motéis, onde não se pode efetivamente projetar nas paredes, nas portas, no chão e nas janelas a nossa identidade social.

Como espaço moral importante e diferenciado, a casa se exprime numa rede complexa e fascinante de símbolos que são parte da cosmologia brasileira, isto é, de sua ordem mais profunda e perene. Assim, a casa demarca um espaço definitivamente amoroso onde a harmonia deve reinar sobre a confusão, a competição e a desordem. Em casa, sabemos todos — como bons brasileiros que somos —, não devemos comprar, vender ou trocar. O comércio está excluído da casa como o Diabo se exclui do bom Deus. Do mesmo modo, as discussões políticas, que revelam e indicam posições individualizadas e quase sempre discordantes dos membros de uma família, estão banidas da mesa e das salas íntimas, sobretudo dos quartos. Se elas são inevitáveis, transcorrem certamente nas varandas e quintais, locais marginais da casa, posto que situados entre o seu interior (cujo calor revela a igualdade de substância e de opiniões das pessoas que ali residem) e a rua: o mundo exterior que se mede pela "luta", pela competição e pelo anonimato cruel de individualidades e individualismos. Daí por que, em casa e no código da família brasileira, existe uma tendência de produzir sempre um discurso conservador, onde os valores morais tradicionais são defendidos pelos mais velhos e pelos homens. Daí também por que na casa podemos ter de tudo, como se ali o espaço fosse marcado por um supremo reconhecimento pessoal: uma espécie de supercidadania que contrasta terrivelmente com a ausência total de reconhecimento que existe na rua. Em casa, portanto, tenho tudo e sou reconhecido nos meus mais ínfimos desejos e vontades. Sou membro perpétuo de uma corporação (a família brasileira) que não morre e que, com sua rede de compadres, empregados, servidores e amigos, tem muito mais vitalidade e permanência do que o governo e a administração pública, que sempre competem com ela pelo respeito do cidadão. Digo que a casa, por tudo isso, provê uma leitura especial do mundo brasileiro. É certo que toda sociedade moderna tem casa e rua. Mas o meu argumento aqui é no sentido de salientar que a casa, entre nós, ordena um mundo à parte. Universo onde o tempo não é histórico, mas cíclico, tempo que vive de durações que não se medem por relógios, mas por retratos amarelados e corroídos pelas traças, como naquela poesia de Drummond. Um tempo que é medido pela morte dos mais velhos e pelo batizado dos mais novos. Um tempo cuja duração e experiência podem ser revertidas pela doce saudade dos dias em que a família estava toda reunida em torno de alguma figura importante para a sua unidade e sobrevivência, enquanto grupo uno e integrado. Quer dizer, quando observamos que a casa contém todas essas dimensões, temos que nos dar conta de que vivemos numa sociedade onde casa e rua são mais que meros espaços geográficos. São modos de ler, explicar e falar do mundo.

Mas como é o espaço da rua? Bem, já sabemos que ela é local de "movimento". Como um rio, a rua se move sempre num fluxo de pessoas indiferenciadas e desconhecidas que nós chamamos de "povo" e de "massa". As palavras são reveladoras. Em casa, temos as "pessoas", e todos lá são "gente": "nossa gente". Mas na rua temos apenas grupos desarticulados de indivíduos — a "massa" humana que povoa as nossas cidades e que remete sempre à exploração e a uma concepção de cidadania e de trabalho que é nitidamente negativa. De fato, falamos da "rua" como um lugar de "luta", de "batalha", espaço cuja crueldade se dá no fato de contrariar frontalmente todas as nossas vontades. Daí por que dizemos que a rua é equivalente à "dura realidade da vida". O fluxo da vida, com suas contradições, durezas e surpresas, está certamente na rua, onde o tempo é medido pelo relógio e a história se faz acrescentando evento a evento numa cadeia complexa e infinita. Na rua, então, o tempo corre, voa e passa. Muito mais que no lar, onde ele está suspenso entre as relações prazerosas e amorosas de todos com todos. Mas aqui, no negro do asfalto, no calor da caminhada para se chegar a algum lugar, no nervosismo do confronto com o policial imbuído de sua autoridade legal, que nos trata como coisas e como indivíduos sem nome nem face, o reino é sinônimo de luta e sangue. Na rua não há, teoricamente, nem amor, nem consideração, nem respeito, nem amizade. É local perigoso, conforme atesta o ritual aflitivo e complexo que realizamos quando um filho nosso sai sozinho, pela primeira vez, para ir ao cinema, ao baile ou à escola. Que insegurança nos possui quando um pedaço de nosso sangue e de nossa casa vai ao encontro desse oceano de maldade e insegurança que é a rua brasileira. Não é, pois, ao léu que damos conselhos quando alguém se aventura nesta selva. Lá, falamos sempre, e nosso próprio comportamento na rua acaba confirmando nossas piores e mais sombrias profecias, estamos no reino do engano, da confusão e do logro. Local onde ninguém nos respeita como "gente" ou "pessoa", como entidade moral dotada de rosto e vontade. A rua compensa a casa e a casa equilibra a rua. No Brasil, casa e rua são como os dois lados de uma mesma moeda. O que se perde de um lado, ganha-se do outro. O que é negado em casa — como o sexo e o trabalho —, tem-se na rua. Não creio ser necessário chamar a atenção para o fato significativo de que, em nossa classificação de eventos, relações e pessoas, a casa e a rua entram como um eixo dos mais fundamentais. Assim, se a mulher é da rua, ela deve ser vista e tratada de um modo. Trata-se, para ser mais preciso, das chamadas mulheres da "vida", pois rua e vida formam uma equação importante no nosso sistema de valores. Do mesmo modo, se a discussão foi na rua, então é quase certo que pode degenerar em conflito. Em casa, pode promover um alto entendimento. Também falamos que comida de rua é ruim ou venenosa, enquanto a comida caseira é boa (ou deve ser assim) por definição. Até mesmo objetos e pessoas, como crianças, podem ser diferentemente interpretados caso sejam da rua ou de casa.

Por tudo isso, o universo da rua — tal como ocorre com o mundo da casa — é mais que um espaço físico demarcado e universalmente reconhecido. Pois para nós, brasileiros, a rua forma uma espécie de perspectiva pela qual o mundo pode ser lido e interpretado. Uma perspectiva, repito, oposta — mas complementar — à da casa, e onde predominam a desconfiança e a insegurança. Aqui, quem governa não é mais o pai, o irmão, o marido, a mulher e as redes de parentesco e amizade que nos têm como uma pessoa e um amigo. Ao contrário, o comando é dado à autoridade que governa com a lei, a qual torna todo mundo igual no propósito de desautorizar e até mesmo explorar de forma impiedosa. Todos sabemos, por experiência respeitável e profunda, que na rua não se deve brincar com quem representa a ordem, pois naquele espaço se corre o grave risco de ser confundido com quem é "ninguém". E entre ser alguém e ser ninguém há um mundo no caso brasileiro. Um universo ou abismo que passa pela construção do espaço da casa, com seu aconchego e sua rede imperativa de relações calorosas, e o espaço da rua, com seu anonimato e sua insegurança, suas leis e sua polícia. Daí por que, na rua, tendemos a ser todos revolucionários e revoltados, membros destituídos de uma massa de anônimos trabalhadores.

Mas, além disso tudo, a rua é espaço que permite a mediação pelo trabalho — o famoso "batente", nome já indicativo de um obstáculo que temos que cruzar, ultrapassar ou tropeçar. Trabalho que no nosso sistema é concebido como castigo. E o nome diz tudo, pois a palavra deriva do latim *tripaliare*, que significa castigar com o *tripaliu*, instrumento que, na Roma Antiga, era um objeto de tortura, consistindo numa espécie de canga usada para supliciar escravos. Entre a casa (onde não deve haver trabalho e, curiosa e erroneamente, não tomamos o trabalho doméstico como tal, mas como "serviço" ou até mesmo prazer ou favor...) e a rua, o trabalho duro é visto no Brasil como algo bíblico. Muito diferente da concepção anglo-saxã que equaciona trabalho (*work*) com agir e fazer, de acordo com sua concepção original. Entre nós, porém, perdura a tradição católica romana e não a tradição reformadora de Calvino, que transformou o trabalho como castigo numa ação destinada à salvação. Mas nós, brasileiros, que não nos formamos nessa tradição calvinista, achamos que o trabalho é um horror. Não é à toa que o nosso panteão de heróis oscila entre uma imagem deificada do malandro (aquele que vive na rua sem trabalhar e ganha o máximo com um mínimo de esforço), o renunciador ou o santo (aquele que abandona o trabalho neste e deste mundo e vai trabalhar para o outro, como fazem os santos e líderes religiosos) e o caxias, que talvez não seja o trabalhador, mas o cumpridor de leis que devem obrigar os outros a trabalhar... O fato é que não temos a glorificação do trabalhador, nem a idéia de que a rua e o trabalho são locais onde se pode honestamente enriquecer e ganhar dignidade. Para nós, esses espaços e essa mediação entre casa e rua pelo trabalho são algo muito complexo.

Mas poderia ser de outro jeito numa sociedade em que até outro dia havia escravos e onde as pessoas decentes não saíam à rua nem podiam trabalhar com as mãos? É claro que não... No nosso sistema, tão fortemente marcado pelo trabalho escravo, as relações entre patrões e empregados ficaram definitivamente confundidas. Não era algo apenas econômico, mas também uma relação moral onde não só um tirava o trabalho do outro, mas era seu representante e dono perante a sociedade como um todo. O patrão, num sistema escravocrata, é mais que um explorador de trabalho, sendo dono e até mesmo responsável moral pelo escravo. Essas relações são complicadas e, dizem os especialistas, muito difíceis de serem mantidas em nível produtivo. Pois aqui a relação vai do econômico ao moral, totalizando-se em muitas dimensões e atingindo diversas camadas sociais. Creio que isso embebeu de tal modo as nossas concepções de trabalho e suas relações que até hoje misturamos uma relação puramente econômica com laços pessoais de simpatia e amizade, o que confunde o empregado e permite ao patrão exercer duplo controle da situação. Ele assim pode governar o trabalho, pois é quem oferece o emprego, e pode controlar as reivindicações dos empregados, pois apela para a moralidade das relações pessoais que, em muitos casos, e sobretudo nas pequenas empresas e no comércio, tende a ofuscar a relação patrão-empregado. O caso mais típico e mais claro dessa problemática — muito complexa e a meu ver ainda pouco estudada — é o das chamadas "empregadas domésticas", as quais são pessoas que, vivendo nas casas dos seus patrões, realizam aquilo que, em casa, está banido por definição: o trabalho. Nessa situação, elas repetem a mesma situação dos escravos da casa de antigamente, permitindo confundir relações morais de intimidade e simpatia com uma relação puramente econômica, quase sempre criando um conjunto de dramas que estão associados a esse tipo de relação de trabalho onde o econômico está subordinado ao político e ao moral, ou neles embebido. Tal como deve ocorrer quando a casa se mistura com a rua...

O fato, porém, é que a concepção de trabalho fica confundida num sistema onde as mediações entre casa e rua são tão complexas. E onde, como vimos, casa e rua são mais que locais físicos. São também espaços de onde se pode julgar, classificar, medir, avaliar e decidir sobre ações, pessoas, relações e moralidades. Compensando-se mutuamente e sendo ambas complementadas pelo espaço do "outro mundo", onde residem deuses e espíritos, casa e rua formam os espaços básicos através dos quais circulamos na nossa sociabilidade. Sobretudo porque o que falta na rua existe em abundância na casa. E ainda porque eles não podem ser confundidos sob pena de grandes confusões e desordens.

3

A ilusão das relações raciais

No século XVIII, Antonil percebeu algo interessante numa sociedade dividida entre senhores e escravos, e escreveu: "O Brasil é um inferno para os negros, um purgatório para os brancos e um paraíso para os mulatos". A frase foi, como sempre acontece com as coisas profundas que são faladas com simplicidade, mal entendida. É que quase todos os seus intérpretes viram nela uma afirmativa ao pé da letra, algo que se referia exclusivamente a um fenômeno biológico e racial, quando de fato ela diz muito mais de fatos sociológicos básicos. Na verdade, penso que, caso se queira ter uma compreensão mais profunda e original das relações raciais que existem no Brasil, será necessário tomar essa expressão nos seus sentidos velados, considerando todas as suas implicações morais e políticas. E elas, conforme veremos a seguir, nos levam muito longe de uma mera questão fisiológica de raças.

Digo que a frase de Antonil tem um sentido sociológico e simbólico profundo porque, no contexto das teorias raciais do momento, ela é no mínimo contraditória. Realmente, não custa relembrar que as teorias racistas européias e norte-americanas não eram tanto contra o negro ou o amarelo (o índio, genericamente falando, também discriminado como inferior), que eram nítida e injustamente inferiorizados relativamente ao branco, mas que também eram vistos como donos de poucas qualidades positivas enquanto "raça". O problema maior dessas doutrinas, o horror que declaravam, era, isso sim, contra a mistura ou miscigenação das "raças". É certo, diziam elas, que havia uma nítida ordem natural que graduava, escalonava e hierarquizava as "raças humanas", conforme ocorria com as espécies de animais e as plantas; é certo também, afirmavam tais teorias, que o branco se situava no alto da escala, com o branco da Europa Ocidental assumindo indiscutível posição de liderança na criação animal e humana do planeta. Mas era também seguro que amarelos e negros tinham qualidades que a mistura denegria e levava ao extermínio. Saber por que tais teorias tinham esse horror à miscigenação é conduzir a curiosidade intelectual para um dos pontos-chaves que distinguem e esclarecem o "racismo à européia" ou "à americana" e o nosso conhecido, dissimulado e disseminado "racismo à brasileira".

Tome-se o exemplo mais famoso dessas idéias, o Conde de Gobineau, que, inclusive, residiu no Rio de Janeiro como cônsul da França e se tornou amigo e interlocutor intelectual de nosso Imperador, D. Pedro II. Ele diz claramente, num livro célebre pelas idéias racistas e pelos erros no que diz respeito à Antropologia das diferenciações humanas, que é possível dividir as "raças" de acordo com três critérios fundamentais: o intelecto, as propensões animais e as manifestações morais. No curso dessa obra, significativamente intitulada *A diversidade moral e intelectual das raças* (publicada em 1856), Gobineau, entretanto, não realiza um exercício simplista, no sentido de dizer que a "raça" branca era superior em tudo. Há muita inteligência nos preconceitos e nos autoritarismos.

Muito ao contrário, ao comparar, por exemplo, brancos e amarelos no que diz respeito às suas "propensões animais", ele situa os primeiros abaixo dos segundos. Quem não se salva, porém, como infelizmente acontece até hoje na nossa sociedade, são os negros, sempre e em tudo situados abaixo de brancos e amarelos.

Mas onde Gobineau realmente excedeu a si mesmo e ousou com confiança inusitada, mesmo para quem estava imbuído de uma ideologia autoritária de sua própria superioridade, foi na previsão de que o Brasil levaria menos de 200 anos para se acabar como povo! Por quê? Ora, simplesmente porque ele via com seus próprios olhos, e escrevia revoltado a seus amigos franceses, o quanto a nossa sociedade permitia a mistura insana de raças. Essa miscigenação e esse acasalamento é que o certificavam do nosso fim como povo e como processo biológico. Seu problema, conforme estou revelando, não era a existência de raças diferentes, desde que essas "raças" obviamente ficassem no seu lugar e naturalmente não se misturassem. Gobineau, como se vê, foi o pai, ou melhor, o verdadeiro genitor de um dos valores mais caros ao preconceito racial de qualquer sociedade hierarquizada. Refiro-me ao fato de que ele não se colocou contra a hierarquia que governava, conforme supunha, a diversidade humana no que diz respeito aos seus traços biológicos, mas foi terminantemente contrário ao contato social íntimo entre elas. E é precisamente isso, conforme sabe (mas não expressa) todo racista, que implica a idéia de miscigenação, já que ela importa contato (e contato íntimo, posto que sexual) entre pessoas que, na teoria racista, são vistas e classificadas como pertencendo a espécies diferentes. Daí a palavra "mulato", que vem de *mulo*, o animal ambíguo e híbrido por excelência; aquele que é incapaz de reproduzir-se enquanto tal, pois é o resultado de um cruzamento entre tipos genéticos altamente diferenciados.

Mas, no seu horror ao *mulatismo* e ao contato íntimo e

amoroso entre os tipos humanos, Gobineau não estava só. Outros teóricos importantes, como Buckle, Couty e Agassiz — para ficarmos com aqueles que foram influentes entre os teóricos do racismo no Brasil —, também exprimiram esse medo da mistura e trataram a nossa população como um todo potencialmente degenerado de híbridos incapazes de criarem alguma coisa forte ou positiva. Nesse contexto, vale a pena citar um trecho escrito por Agassiz, opinando precisamente sobre a nossa sociedade: "Que qualquer um que duvida dos males dessa mistura de raças, e se inclina, por mal-entendida filantropia, a botar abaixo todas as barreiras que as separam, venha ao Brasil. Não poderá negar a deterioração decorrente do amálgama de raças, mais geral aqui do que em qualquer outro país do mundo, e que vai apagando rapidamente as melhores qualidades do branco, do negro e do índio, deixando um tipo indefinido, híbrido, deficiente em energia física e mental." O célebre zoólogo de Harvard fecha com Gobineau, postulando um futuro terrível para o Brasil. É que certamente não havia descoberto o valor positivo do *mulatismo* e, sobretudo, a capacidade brasileira de recuperar e trabalhar o ambíguo como dado positivo, na glorificação da *mulata* e do *mestiço* como sendo, no fundo, uma síntese perfeita do melhor que pode existir no negro, no branco e no índio. E agora, suponho, estamos em posição para retornarmos à frase notável de Antonil a fim de entendê-la em toda a sua profundidade.

Noto, primeiramente, que Antonil não fala de branco, negro e mulato numa equação biológica. Ao contrário, com eles constrói uma associação social ou normal, pois que relaciona o branco com o purgatório, o negro com o inferno e o mulato com o paraíso. Creio ser a primeira vez que se estabelece um triângulo para o entendimento da sociedade brasileira e isso, sustento, é significativo e importante. Significativo porque eu mesmo tenho repetido seguidamente que o Brasil não é um país dual onde se opera somente com uma lógica do dentro *ou* fora; do certo *ou* errado; do homem *ou* mulher; do casado *ou* separado; de Deus *ou* Diabo; do preto *ou* branco. Ao contrário, no caso de nossa sociedade, a dificuldade parece ser justamente a de aplicar esse dualismo de caráter exclusivo; ou seja, uma oposição que determina a inclusão de um termo e a automática exclusão do outro, como é comum no racismo americano ou sul-africano, que nós brasileiros consideramos brutal porque no nosso caso tudo se passa conforme Antonil maravilhosamente intuiu. Isto é, entre o preto e o branco (que nos sistemas anglo-saxão e sul-africano são termos exclusivos), nós temos um conjunto infinito e variado de categorias intermediárias em que o *mulato* representa uma cristalização perfeita.

De modo plenamente coerente com essa ordenação hierarquizada das categorias diferenciais do gênero humano, Antonil as equaciona simultaneamente a três espaços sagrados, críticos na cosmologia católica romana: o paraíso, o inferno e o purgatório. Não será preciso notar que a correlação aqui é igualmente perfeita. Se o mulato é um ser intermediário e ambíguo, uma espécie de Dona Flor das relações raciais brasileiras, categoria que existe de fato e de direito na ideologia social da sociedade e se legitima precisamente por instituir o intermediário e a síntese dos opostos como algo positivo, sua associação com o Paraíso nos ajuda a entender a genial sensibilidade de Antonil para os valores mais profundos da nossa sociedade. Porque não há dúvida alguma de que ele percebeu o valor positivo que associamos ao intermediário, a categoria que fica no meio, ao ser situado entre os extremos e que, por isso mesmo, permite a sua associação e a negação de suas tendências e características antagônicas. Quem inventou, ou melhor, percebeu a positividade da mulata, da mulataria e das categorias intermediárias em geral foi um jesuíta que, muito acertadamente, equacionou esse valor altamente positivo, atribuído a tal categoria na nossa sociedade, ao próprio Paraíso.

Tal associação permite dizer que, no Brasil, ao contrário do que aconteceu em outros países — e eu penso aqui, sobretudo, nos Estados Unidos —, não ficamos com uma classificação racial formalizada em preto e branco (ou talvez, mais precisamente, em preto *ou* branco), com aqueles conhecidos refinamentos ideológicos que, na legislação norte-americana, eram pródigos em descobrir porções ínfimas daquilo que a lei chamava de "sangue negro" nas veias de pessoas de cor branca, que assim passavam a ser consideradas pretas, mesmo que sua fenotipia (ou aparência externa) fosse inconfundivelmente "branca". Trata-se, conforme já apontou um sociólogo brasileiro, Oracy Nogueira, de um tipo de preconceito racial que considera básicas as "origens" das pessoas, e não somente a "marca" do tipo racial, como ocorre no caso brasileiro. Desse modo, o nosso preconceito seria muito mais contextualizado e sofisticado do que o norte-americano, que é direto e formal. A conseqüência disso, sabemos bem, é a dificuldade de combater o nosso preconceito, que em certo sentido tem, pelo fato de ser variável, enorme e vantajosa invisibilidade. Na realidade, acabamos por desenvolver o preconceito de ter preconceito, conforme disse Florestan Fernandes numa frase lapidar.

O fato de existir uma legislação rígida, racista e dualística nos Estados Unidos — um conjunto de leis que até bem pouco tempo impediam o movimento de quem era considerado negro em certas áreas urbanas, escolas, restaurantes, hotéis, bares e muitas outras instituições sociais — revela esse dualismo claro que indica sem maiores embaraços quem está dentro ou fora; quem tem direitos e quem não tem; quem é branco ou é preto! Mas aqui, conforme sabemos, há uma radical exclusão de todas as categorias intermediárias, que são absorvidas, com todos os riscos e penalidades, às duas categorias principais, em franca oposição e em aberta distinção. Aqui, o mulato não está no paraíso de Antonil, mas no inferno. E os motivos dessa equação são exatamente opostos. É que numa sociedade igualitária e protestante, como são os Estados Unidos, o intermediário representa tudo o que deve ser excluído da realidade social. Dentro de uma sociedade que tentou eliminar a tradição imemorial das leis implícitas, aquelas que podiam ser aplicadas ou não, que podiam ser lembradas ou não, que podiam variar de acordo com quem praticava o crime ou não, o mulato, o intermediário, representava a negação viva de tudo aquilo que a lei estabelecia positivamente. Ele mostrava o pecado e o perigo da intimidade entre camadas sociais que deveriam permanecer diferenciadas, mesmo que fossem teoricamente consideradas iguais. Além disso, ele indicava a presença objetiva de uma relação entre camadas que não podiam comunicar-se sexual ou afetivamente. Do mesmo modo que as leis de uma sociedade igualitária e liberal não admitem o "jeitinho" ou o "mais-ou-menos", as relações entre grupos sociais não podem admitir a intermediação. E o mulato é precisamente essa possibilidade que, nesses sistemas, é definida como imoralidade. Lá, então, diferentemente daqui, o negativo é aquele que está *entre* as coisas e as pessoas. O que se busca eliminar é a relação, pois a ênfase da ideologia social e dos valores é sempre no papel do indivíduo como o centro e a razão de ser da sociedade. A igualdade jurídica e constitucional dos membros da sociedade americana forma uma poderosa tradição que chegou àquele país com os Puritanos ingleses e se consolidou nas doutrinas liberais que marcaram o nascimento e a expansão da sociedade americana como nação. Nesse sistema de indivíduos teoricamente "iguais", a experiência da escravidão e das hierarquias que ela certamente determina por sua própria natureza enquanto sistema — pois há escravos da casa e do eito, escravos educados e sem instrução, escravos que ficam mais perto ou mais longe dos seus senhores, e isso engendra uma gradação que atua de modo informal, contrabalançando a rigidez das categorias jurídicas que tudo separam entre senhor e escravo — foi certamente muito mais problemática do que no caso do Brasil.

Por quê?

Primeiro, conforme estou revelando, pela existência da tradição igualitária, que no universo social anglo-saxão era muito mais forte que em Portugal ou no Brasil. Noto que foi a Inglaterra que deu forma moderna à idéia econômica de mercado e de capitalismo. E com isso veio a prática de equacionar todos como iguais perante as leis. Foi ali também que variantes radicais do protestantismo — como o puritanismo e o calvinismo — ganharam amplo terreno. Isso tudo conduziu a um individualismo radical — "possessivo", no dizer de um teórico dessas questões, o cientista político C. B. Macpherson. Tal ideologia social nega as relações sociais e, com isso, a presença das redes imperativas de amizade e de parentesco que sustentavam a chamada moral tradicional; ou seja: aquela moralidade que afirma a importância do todo (ou da sociedade) sobre o indivíduo. Dentro dela, a pessoa é importante porque pertence a uma família e tem compadres e amigos. É a relação que ajuda a defini-la como ser humano e como entidade social significativa. Na moralidade individualista moderna, porém, inaugurada com a Reforma e com a Revolução Industrial, a família e a sociedade é que eram constituídas de indivíduos, tal como os clubes, as paróquias e os partidos políticos. Aqui, o indivíduo não é possuído (ou englobado) por sua família ou por seus pais, confessores ou patrões. Ao contrário, é dono de si mesmo e pode, em conseqüência, dispor de sua força de trabalho individualmente num mercado de homens livres, mercado esse que desvincula moralmente quem oferece de quem faz o trabalho.

Pois bem, todos esses fatores tornavam difícil a convivência da escravidão com essa ideologia que, no caso dos Estados Unidos, é dominante. É certamente isso que explica a localização geográfica da economia escravocrata nos Estados do Sul. De fato, até o advento da Guerra Civil (que começa em 1861 e vai até 1865, fazendo mais de 617 mil mortes), os Estados Unidos são como se fossem duas sociedades distintas em política, economia e, sobretudo, ideologia e valores. Há um Norte igualitário e individualista, que não pode admitir a escravidão; e um Sul hierarquizado, aristocrático e relacional, onde existe uma sociedade cheia de nuances, parecido nisso tudo com o Brasil. A diferença é que, nos Estados Unidos, o Sul perdeu e o Norte estabeleceu por todo o país sua hegemonia moral e política. A contradição gerada pelo negro livre numa sociedade que pregava uma igualdade de todos com todos foi o preconceito racial radical, sustentado não somente por costumes e atitudes veladas e muitas vezes secretas de brancos ou de mulatos, mas por uma série de leis que explicitamente impediam a competição econômica de negros e brancos como iguais num mercado de trabalhadores livres.

Tudo isso nos conduz a algumas correlações interessantes que permitem elucidar o caso do "racismo à brasileira" e do nosso famoso triângulo racial. É que primeiramente devemos ressaltar como as sociedades igualitárias engendraram formas de preconceito muito claras, porque sua ideologia negava o intermediário, a gradação e a relação entre grupos que deveriam permanecer separados, embora pudessem ser considerados teoricamente iguais. Tal fato não existiu na sociedade brasileira e até hoje tem débil aceitação social. Realmente, estou convencido de que a sociedade brasileira ainda não se viu como sistema altamente hierarquizado, onde a posição de negros, índios e brancos está ainda tragicamente de acordo com a hierarquia das raças. Numa sociedade onde não há igualdade entre as pessoas, o preconceito velado é forma muito mais eficiente de discriminar pessoas de cor, desde que elas fiquem no seu lugar e "saibam" qual é ele.

Finalmente, ao lado disso, temos um "triângulo racial" que impede uma visão histórica e social da nossa formação como sociedade. É que, quando acreditamos que o Brasil foi feito de negros, brancos e índios, estamos aceitando sem muita crítica a idéia de que esses contingentes humanos se encontraram de modo espontâneo, numa espécie de carnaval social e biológico. Mas nada disso é verdade. O fato contundente de nossa história é que somos um país feito por portugueses brancos e aristocráticos, uma sociedade hierarquizada e que foi formada dentro de um quadro rígido de valores discriminatórios. Os portugueses já tinham uma legislação discriminatória contra judeus, mouros e negros, muito antes de terem chegado ao Brasil; e quando aqui chegaram apenas ampliaram essas formas de preconceito. A mistura de raças foi um modo de esconder a profunda injustiça social contra negros, índios e mulatos, pois, situando no biológico uma questão profundamente social, econômica e política, deixava-se de lado a problemática mais básica da sociedade. De fato, é mais fácil dizer que o Brasil foi formado por um triângulo de raças, o que nos conduz ao mito da democracia racial, do que assumir que somos uma sociedade hierarquizada, que opera por meio de gradações e que, por isso mesmo, pode admitir, entre o branco superior e o negro pobre e inferior, uma série de critérios de classificação. Assim, podemos situar as pessoas pela cor da pele ou pelo dinheiro. Pelo poder que detêm ou pela feiúra de seus rostos. Pelos seus pais e nome de família, ou por sua conta bancária. As possibilidades são ilimitadas, e isso apenas nos diz de um sistema com enorme e até agora inabalável confiança no credo segundo o qual, dentro dele, "cada um sabe muito bem o seu lugar".

É claro que podemos ter uma democracia racial no Brasil. Mas ela, conforme sabemos, terá que estar fundada primeiro numa positividade jurídica que assegure a todos os brasileiros o direito básico de toda a igualdade: o direito de ser igual perante a lei! Enquanto isso não for descoberto, ficaremos sempre usando a nossa mulataria e os nossos mestiços como modo de falar de um processo social marcado pela desigualdade, como se tudo pudesse ser transcrito no plano do biológico e do racial. Na nossa ideologia nacional, temos um mito de três raças formadoras. Não se pode negar o mito. Mas o que se pode indicar é que o mito é precisamente isso: uma forma sutil de esconder uma sociedade que ainda não se sabe hierarquizada e dividida entre múltiplas possibilidades de classificação. Assim, o "racismo à brasileira", paradoxalmente, torna a injustiça algo tolerável, e a diferença , uma questão de tempo e amor. Eis, numa cápsula, o segredo da fábula das três raças...

4

Sobre comidas e mulheres...

A sociedade manifesta-se por meio de muitos espelhos e vários idiomas. Um dos mais importantes no caso do Brasil é, sem dúvida, o código da comida, em seus desdobramentos morais que acabam ajudando a situar também a mulher e o feminino no seu sentido talvez mais tradicional. Comidas e mulheres, assim, exprimem teoricamente a sociedade, tanto quanto a política, a economia, a família, o espaço e o tempo, em suas preocupações e, certamente, em suas contradições.

Creio que foi o antropólogo francês Claude Lévi-Strauss quem chamou a atenção para dois processos naturais — o *cru* e o *cozido* — , não somente como dois estados pelos quais passam todos os alimentos, mas como modalidades pelas quais se pode falar de transformações sociais importantíssimas. De fato, o cru e o cozido, o alimento e a comida, o doce e o salgado ajudam a classificar coisas, pessoas e até mesmo ações morais importantes no nosso mundo. Assim é que equacionamos simbolicamente a mulher com a comida e o doce com o feminino, deixando o salgado e o indigesto para estarem associados a tudo o que nos "cheira" a coisas duras e cruéis. Ao mundo difícil da "vida", da "rua" e do trabalho em geral, esses universos que são profundamente masculinos e, por conseguinte, estão longe das cozinhas, dos temperos e das boas mesas e camas, onde se pode exercer uma comensalidade enriquecedora. Num plano mais filosófico e universal, sabemos que cru se liga a um estado de selvageria (a um estado de natureza), ao passo que o cozido se relaciona ao universo socialmente elaborado que toda sociedade humana define como sendo o de sua cultura e ideologia. Sabendo que o cru e o cozido exprimem mais que dois processos "naturais", podemos agora entender por que falamos que "o apressado come cru...". É que, com tal metáfora (ou associação entre o cru e a pressa), estamos nos referindo a esse elo entre a selvageria ou sofreguidão da pressa e o lado selvagem, ruim ou cru das coisas e da vida. O calmo, pode-se dizer, complementando o provérbio revelador, come sempre cozido, pois quem tem calma possui um elemento da civilização e a civilização funda-se precisamente num saber esperar...

Mas o que é também interessante na oposição entre o cru e o cozido é descobrir que o universo da comida permite pensar o mundo integrando o intelectual com o sensível. Quer dizer: qualquer refeição mais bem preparada ou mais "caprichada", conforme falamos coloquialmente, pode (e deve) promover essa união ou casamento entre o olhar — que remete ao intelecto — e, naturalmente, o gosto e o cheiro, que indicam o caminho do nariz, da boca e do estômago. Tudo que leva ao corpo, à sensualidade e à pança ou barriga, conforme falamos no Brasil. Assim, "encher a barriga" ou "encher a pança" é um ato concreto destinado à saciedade do corpo, mas é também um modo de se referir a uma ação simbólica. A tudo que foi capaz de satisfazer plenamente uma pessoa...

Mas é básico continuar enfatizando que a comida (com suas possibilidades simbólicas) permite realizar uma importante mediação entre cabeça e barriga, entre corpo e alma, permitindo operar simultaneamente com uma série de códigos culturais que normalmente estão separados, como o gustativo (que distingue o salgado do doce e do amargo; o gostoso do péssimo; o quente do frio), o código de odores (que permite separar dos outros o alimento que tem bom cheiro e está sadio e bom), o código visual (que nos faz comer ou não algum alimento com os olhos, ou recusá-lo por sua aparência, tendo ou não "olho maior do que a barriga") e, ainda, um código digestivo, posto que no Brasil também classificamos os alimentos por sua capacidade de permitir ou não uma digestão fácil e agradável. Ora, é precisamente essa possibilidade de síntese e de equilíbrio entre o olho e a barriga — a parte de cima do corpo e sua parte de baixo — que a relação entre o cru e o cozido ajuda e consegue, entre nós, realizar.

Mas esses estados e suas concepções variam. Para europeus e norte-americanos, cru e cozido, alimento e comida, são categorias científicas, nem sempre levadas em conta no próprio ato de comer, conforme nos revelam as imensas saladas e as "comidas naturais" que são digeridas em países como Estados Unidos e Inglaterra como pratos principais, algo bem recente no Brasil.

Para nós, o cru e o cozido podem significar com muito mais facilidade um universo complexo, uma área do nosso sistema onde podemos nos enxergar como formidáveis e nos levar finalmente, muito a sério. Aqui, contamos uma história para nós mesmos, e essa é uma narrativa que admiramos e que nos permite que admiremos a nós mesmos, para usarmos a fórmula de Clifford Geertz, um sofisticado antropólogo americano. Sabemos que somos tão bons em comida quanto em mulher ou futebol. Aqui, afirmamos entre sorrisos, somos os melhores do mundo... E, como não poderia deixar de ser, o mundo das comidas nos leva para casa, para os nossos parentes e amigos, para os nossos companheiros de teto e de mesa. Essas pessoas que compartilham intensamente de nossa vida e intimidade. Intimidade que se faz na casa e na mesa, onde somos sempre e necessariamente tratados como alguém e temos direitos perpétuos de cidadania.

Nesse sentido, o cru seria tudo que está fora dessa área da casa onde somos vistos e tratados com amor, carinho e consideração, podendo — conseqüentemente — escolher a comida. Ou seja: o cru é tudo aquilo que está fora do controle da casa. Tudo que pode até mesmo estar oposto ao mundo da casa, como uma área cruel e dura do mundo social. Um espaço repleto de movimento contraditório, onde as pessoas não se harmonizam entre si, mas disputam na competição uma espécie de batalha que se revela sobretudo no trabalho.

Já o *cozido* é algo social por definição. Não é somente o nome de um processo físico — o cozimento das coisas pelo fogo —, mas, sobretudo, o nome de um prato sagrado dentro da nossa culinária. Prato, aliás, que diz tudo dessas metáforas que as comidas permitem realizar e que fazem desta sociedade o Brasil. De fato, no *cozido* temos o alimento que junta vegetais, legumes e carnes variadas num prato que tem peso social muito importante, pois que inventa a sua própria ocasião social. Quando se come um cozido, não se come um prato qualquer. É que há, no Brasil, certos alimentos ou pratos que abrem uma brecha definitiva no mundo diário, engendrando ocasiões em que as relações sociais devem ser saboreadas e prazerosamente desfrutadas como as comidas que elas estão celebrando. E de modo tão intenso que não se sabe, no fim, se foi a comida que celebrou as relações sociais, estando a serviço delas, ou se foram os elos de parentesco, compadrio e amizade que estiveram a serviço da boa mesa.

Tudo isso revela que a nossa concepção do cozido, em oposição ao cru, estabelece uma distinção entre coisas que são separadas e estanques — individualizadas umas das outras —, e tudo isso é o cru ou faz parte do que é cru... E o cozido é concebido como algo que permite a relação e a mistura de coisas do mundo que estavam eventualmente separadas. Voltarei a esse problema mais adiante. Agora, é importante falar de outra distinção que segue a mesma estrada do cru e do cozido.

Quero me referir à distinção entre comida e alimento, que é tão importante no sistema social brasileiro. Realmente, para nós, saber comer é algo muito mais refinado do que o simples ato de alimentar-se. Os americanos, sabemos, inventaram a chamada "*fast food*" (alimento rápido) e, por causa disso mesmo, podem comer em pé, sentados, com estranhos ou amigos, sós ou acompanhados. Comem também misturando o doce com o salgado, e uma de suas preocupações básicas é, com raras exceções, comer para viver; comer, entre eles, é um ato que pode ser profundamente individual.

Para nós, brasileiros, nem tudo que alimenta é sempre bom ou socialmente aceitável. Do mesmo modo, nem tudo que é alimento é comida. Alimento é tudo aquilo que pode ser ingerido para manter uma pessoa viva; comida é tudo que se come com prazer, de acordo com as regras mais sagradas de comunhão e comensalidade. Em outras palavras, o alimento é como uma grande moldura; mas a comida é o quadro, aquilo que foi valorizado e escolhido dentre os alimentos; aquilo que deve ser visto e saboreado com os olhos e depois com a boca, o nariz, a boa companhia e, finalmente, a barriga...

O alimento é algo universal e geral. Algo que diz respeito a todos os seres humanos: amigos ou inimigos, gente de perto ou de longe, da rua ou de casa, do céu ou da terra. Mas a comida é algo que define um domínio e põe as coisas em foco. Assim, a comida é correspondente ao famoso e antigo "de-comer", expressão equivalente a refeição, como de resto é a palavra comida. Por outro lado, comida se refere a algo costumeiro e sadio, alguma coisa que ajuda a estabelecer uma identidade, definindo, por isso mesmo, um grupo, classe ou pessoa.

É por termos essa concepção que nós, brasileiros, podemos dizer que queijo para nós é alimento, mas é comida de ratos. Logo: rato = queijo. Falar de queijo, então, é implicar a idéia de rato, já que esse alimento é algo irresistível para os ratos, marcando sua identidade e personalidade. Pela mesma lógica, leite é alimento para os seres humanos, mas é comida para nenéns. E osso é comida de cachorro, milho, de galinha, e sanduíche, de americano. Do mesmo modo, sabemos que churrasco é comida de gaúcho, prato que se come com os amigos e que requer certa intimidade e certo estar-à-vontade.

Mas qual é a comida brasileira básica? Certamente que se trata do feijão-com-arróz, essa comida que é até mesmo usada como metáfora para a rotina do mundo diário. Mas é preciso notar que, tanto no arroz quanto no feijão, temos um alimento que é cozinhado. E que é comido como se come um cozido: misturando-se as duas porções num só prato, e assim formando uma massa indiferenciada que assume as propriedades gustativas dos dois elementos. De tal modo que o feijão, que é preto, deixa de ser preto, e o arroz, que é branco, deixa também de ser branco. A síntese é uma papa ou pirão que reúne definitivamente arroz e feijão, construindo algo como um ser intermediário, desses que a sociedade brasileira tanto admira e valoriza positivamente. Comer arroz-com-feijão, então, é misturar o preto e o branco, a cama e a mesa fazendo parte de um mesmo processo lógico e cultural...

Temos então alimento e temos comida. Comida não é apenas uma substância alimentar, mas é também um modo, um estilo e um jeito de alimentar-se. E o jeito de comer define não só aquilo que é ingerido como também aquele que ingere. De fato, nada mais rico, na nossa língua, que os vários significados do verbo comer em suas conotações.

Existem várias metáforas onde se usa a palavra comer ou comida e onde o ato de alimentar-se tem significados precisos. Assim, falamos em *pão-duro* referindo-nos a quem é avarento e, para economizar, come o pão dormido, que fica, obviamente, duro... Usamos a imagem do *pão, pão, queijo, queijo* para separar coisas, acontecimentos e pessoas, pois não haveria nada mais distinto que o pão (de origem vegetal e agrícola, que vai ao forno) e o queijo (de origem animal e que se fabrica por meio de um processo de fermentação "natural"). Falamos também que alguém pode comer *gato por lebre* quando há uma confusão e uma mistura de pessoas, coisas, eventos. Além disso, podemos ter *água na boca* quando desejamos muito alguma coisa; podemos ser apanhados *com a boca na botija* e, quando somos vitoriosos, estamos *com a faca e o queijo na mão*, imagem que, como aquela outra que fala de quem *está por cima da carne-seca*, indica a propriedade de recursos de poder e força. Ademais, podemos ser convidados para *comes e bebes* e, sempre que falamos alguma coisa que não deve ser levada a sério, falamos *da boca pra fora* O processo de ingestão, equivalente lógico a "falar da boca pra dentro", é tão impossível, representando uma metáfora de tudo que é inatingível ou absurdo... O fato é que o comer, a comida e os alimentos formam um código complexo — uma verdadeira *boca rica* social — que nos permite compreender como é que a sociedade brasileira se funde enquanto tal.

Assim, *comer do bom e do melhor* denota mais do que alimentar-se, indicando um passadio de rico, uma vida boa, gostosa, nobre. Vida de político ou de milionário que vive em palácio e tem gasolina paga pelo erário público ou pela firma... A comida vale tanto para indicar uma operação universal — o ato de alimentar-se — quanto para definir e marcar identidades pessoais e grupais, estilos regionais e nacionais de ser, fazer, estar e viver. Em nossas casas, sabemos perfeitamente bem quem gosta do quê e como esse alguém gosta de comer alguma coisa. É ato de amor familial e conjugal servir o pai, o irmão, a mulher e os filhos, mas também os subordinados e até mesmo visitantes esporádicos, levando em conta o modo como gostam de comer os ovos, o bife, o arroz, a salada e o feijão. E chegando mesmo ao requinte de saber como as pessoas gostam de ter seus pratos arrumados, arte que a mãe ou a dona-de-casa conduz com precisão, solicitude e enorme paciência. Vovó adora pimenta, papai gosta de carne no ponto, titio só come com o arroz em cima do feijão, dona Maria detesta tomate na sua salada... Os exemplos poderiam ser multiplicados para indicar como a comida define as pessoas e, também, as relações que as pessoas mantêm entre si... Nós, brasileiros, sentimos saudade de certas comidas e poderíamos perfeitamente dizer: dize-me o que comes e dir-te-ei quem és!

Mas há comida e comidas. Falamos que "mulher oferecida não é comida", num trocadilho chulo mas revelador da associação, intrigante para estrangeiros, entre o ato sexual e o ato de ingerir alimentos. Entre a mulher da rua, a prostituta, ou a mulher que controla e é dona de sua capacidade de sedução e sexualidade, e certos tipos de alimento. Assim, a mulher que põe à disposição do grupo (da família) seus serviços domésticos, seus favores sexuais e sua capacidade reprodutiva torna-se a fonte de virtude que, na sociedade brasileira, se define de modo pastoral e santificado. É a virgem, a esposa e a mãe que reside nas casas e que jamais é comida ou poderá virar comida: presa fácil de homens que se definem como sexualmente vorazes. Ou melhor, tais mulheres podem ser comidas, mas primeiro são transformadas em noivas e esposas. O bolo do casamento e o banquete que segue a cerimônia podem muito bem ser vistos como um símbolo dessa "comida" que será a noiva, algo elaborado e, sobretudo, socialmente aprovado pelos homens do seu grupo. Ora, a mulher da rua, essa que é a comida de todos, é algo muito diferente, conforme já assinalei acima. Em contraste com a mãe, a virgem e a boa esposa, ela surge como aquela mulher que pode literalmente causar indigestão nos homens, provocando a sua perturbação moral. Dessas mulheres deve-se fugir — diz a moral brasileira tradicional —, mas sem elas, reza paradoxalmente

essa mesma ética, o mundo seria insosso como uma comida sem sal. As mulheres da vida, na nobre metáfora brasileira, estão para as mulheres da morte assim como as comidas fáceis e potencialmente indigestas, mas deliciosas na sua ingestão escondida e apaixonada, estariam para as comidas caseiras que eventualmente podem perder a capacidade de deleitar, servindo tão-somente para alimentar...

O fato é que as comidas se associam à sexualidade, de tal modo que o ato sexual pode ser traduzido como um ato de "comer", abarcar, englobar, ingerir ou circunscrever totalmente aqúilo que é (ou foi) comido. A comida, como a mulher (ou o homem, em certas situações), desaparece dentro do comedor — ou do comilão. Essa é a base da metáfora para o sexo, indicando que o comido é totalmente abraçado pelo comedor. A relação sexual e o ato de comer, portanto, aproximam-se num sentido tal que indica de que modo nós, brasileiros, concebemos a sexualidade e a vemos, não como um encontro de opostos e iguais (o homem e a mulher que seriam indivíduos donos de si mesmos), mas como um modo de resolver essa igualdade pela absorção, simbolicamente consentida em termos sociais, de um pelo outro. Assim, a relação sexual, na concepção brasileira, coloca a diferença e a radical heterogeneidade, para logo em seguida hierarquizá-las no englobamento de um comedor e um comido. E não se pode deixar de observar, para quem estiver lendo estas linhas um tanto desavisado, que o englobador tanto pode ser um homem (esse seria o modelo ideal, a formulação tradicional) como também uma mulher (se for ela quem atua buscando e querendo a relação, exercendo com isso um papel ativo). Assim, pode-se dizer que, nas suas relações com as virgens e esposas — ou mulheres que assim se definem socialmente —, os homens é que são os comedores; mas nas suas relações com as mulheres do mundo e da vida — ou com aquelas que se definem como independentes e individualizadamente —, eles são comidos. O resultado é algo que reproduz, em outro nível e outro plano, a dialética da casa e da rua, deste mundo e do outro, da lei e da pessoa, do malandro e do caxias, da ordem rígida e do "jeitinho" que tudo resolve...

Num sentido muito geral e culturalmente valorizado, fala-se sempre que quem come é o homem, a mulher cozinha e dá os alimentos e a comida. Mas, como sugeri linhas atrás, pode haver casos contrários, onde o homem cai na panela de comida, tal como na história de Dom Ratão que caiu na panela de feijão, o conto de fadas sendo significativo para indicar de que modo a gula (o desejo incontrolado) pode levar o comedor a tornar-se comida... Mas pode-se afirmar, sem correr o risco do exagero, que mesmo hoje, nesta era de transformação e mudanças rápidas, o homem é o englobador do mundo da rua, do mercado, do trabalho, da política e das leis, ao passo que a mulher engloba o mundo da casa, da família, das regras e costumes relativos à mesa e à hospitalidade. E isso se faz no simbolismo da cozinha, espaço da casa teoricamente vedado aos homens e onde eles não devem entrar porque, como diz a música popular, "é lugar só de mulher...".

Não é, pois, por acaso que muitas figuras de nosso panteão mitológico são mulheres cozinheiras ou que sabiam usar as artes da culinária para conseguir uma posição social importante. Gabriela e Dona Flor são cozinheiras de rara capacidade e estilo; também Xica da Silva, na criação cinematográfica de Cacá Diegues, foi genial articuladora de temperos (que usava como arma e requinte) e sexualidade para transformar em dominado o dominante-branco-comedor. Gabriela, cravo e canela. O nome é suficiente para inspirar essas formas de fazer e esses estilos de preparar que os poderosos ignoram e só os "fracos" podem conhecer. São segredos que permitem uma inversão do mundo, fazendo com que a cabeça seja trocada pelo estômago e pelo sexo (onde todos os homens se igualam e se deleitam...).

Quero sugerir que essa equação de dois processos tão

valorizados na sociedade brasileira com as mulheres é algo a ser pensado com muito cuidado. Porque, entre nós, como em muitas outras sociedades, a sexualidade e a arte de comer (sobretudo a comensalidade que deve acompanhar a ação de ingerir o alimento) ainda não se transformaram em assuntos inteiramente individuais. São, ao contrário, coisas fundamentalmente coletivas — atos críticos de relacionamento e reprodução social. Como verdadeiras comunhões onde o encontro transforma as pessoas nele engajadas porque faz com que todos participem de uma mesma substância comum, o prato comido ou a pessoa amada que, sabemos, vira "comida" em nossa sociedade. E as mulheres desempenham, conforme sabemos, um papel básico nesses dois processos. Sobretudo nas nobres artes de comer, nas quais aprendemos a exercer um gosto que nos vai acompanhar o resto da vida. E comer é gostar, e comer é também viver...

Daí a nossa forma especial de comer. Nosso jeito brasileiro de apreciar a mesa grande, farta, alegre e harmoniosa. Mesa que congrega liberdade, respeito e satisfação. Momento que permite orquestrar todas as diferenças e cancelar as mais drásticas oposições. Na mesa, realmente, e através da comida comum, comungamos uns com os outros num ato festivo e certamente sagrado. Ato que celebra as nossas relações mais que nossas individualidades. Daí por que ligamos intensamente a comida com os amigos. Pois quem nos ampara quando "comemos da banda podre" e quem nos pode conseguir uma "boca" ou uma "comilança no Estado ou no Governo"? Certamente que são os amigos, esses nossos eternos companheiros de bródio, gosto e mesa...

Companheiros. O nome é rico para o que falamos. Pois há quem diga que a palavra deriva do latim *com pão*: quer dizer, aqueles que juntos comem o pão. E por isso estão relacionados.

Do mesmo modo, será preciso indicar como é que nós, brasileiros, sempre privilegiamos comidas nacionais e preferimos sempre os alimentos cozidos. Do cozido à peixada e à feijoada. Da farofa ao pirão e aos molhos, guisados e mexidos, às dobradinhas e papas. Parece que temos especial predileção pelo alimento que fica entre o líquido e sólido, evitando — nessas grandes refeições onde se celebram as amizades — o assado, alimento que não permite a mistura. Daí, também, por que temos sempre que usar a farinha de mandioca em sua forma simples ou como farofa em todas as refeições. De fato, a farinha serve como o cimento a ligar todos os pratos e todas as comidas. Enquanto ingleses e franceses usam molhos para pratos específicos, nós temos comidas que são múltiplas com seus caldos, molhos e sucos. Mas é importante acentuar que a comida misturada é uma espécie de imagem perfeita da própria situação que ela mesma engendra e ajuda a saborear. E isso é desses traços mais importantes a transformar o ato de comer num gesto brasileiro.

Assim, entre o sólido (que caracteriza o prato principal das comidas européias e americanas) e o líquido, preferimos uma forma intermediária. O cozido é sólido e líquido. Entre a carne e a verdura — que entram nos pratos europeus como comidas principais e secundárias —, somos muito mais dados a uma ligação entre os dois. E o cozido e a feijoada certamente realizam isso de modo perfeito, junto com a moqueca e a peixada, onde também se pode reunir de tudo. É claro que isso nos foi legado pelo mundo Ibérico, que de fato enquadra toda a nossa cena culinária. Mas também é claro que essa preferência denota uma forma evidente de escolha. Tal como somos ligados à idéia de sermos um país de três raças, um país mestiço e mulato, onde tudo que é contrário lá fora aqui dentro fica combinado, nossa comida revela essa mesma lógica. Temos, então, uma *culinária relacional* que expressa de modo privilegiado uma sociedade igualmente relacional. Isto é, um sistema onde as relações são mais que mero resultado de ações, desejos e encontros individuais; pois aqui entre nós elas se constituem, em muitas ocasiões, em verdadeiros sujeitos das situações, trazendo para elas o seu ponto de vista. Um ponto de vista, claro está, que sintetiza sempre as posições de quem está engajado na própria relação. No nosso mundo culinário, o que privilegiamos não é o prato separado (como na China ou no Japão) nem a combinação de pratos separados que são fortes e descontínuos (como na França e na Inglaterra), mas, isto sim, a possibilidade de estabelecer, também pela comida, gradações e hierarquias, permitindo escolhas entre uma comida (ou prato) que é central e dada de uma vez por todas — a comida principal — e seus coadjuvantes ou ingredientes periféricos, que servem para juntar e misturar. Temos, então, na nossa cozinha, na nossa comida e no nosso modo de comer, uma obsessão pelo código culinário relacional e intermediário. Um código marcado pela ligação.

Do mesmo modo que na vida e na sociedade, somos obcecados pelo amigo único, certo e seguro nas horas em que precisamos de amparo, e que jamais nos pode decepcionar "cuspindo no prato em que comeu"...

5

O carnaval, ou o mundo como teatro e prazer

Todas as sociedades alternam suas vidas entre rotinas e ritos, trabalho e festa, corpo e alma, coisas dos homens e assunto dos deuses, períodos ordinários — onde a vida transcorre sem problemas — e as festas, os rituais, as comemorações, os milagres e as ocasiões extraordinárias, onde tudo pode ser iluminado e visto por novo prisma, posição, perspectiva, ângulo...

Vivemos sempre *entre* esses momentos, como passageiros que estão saindo de um evento rotineiro para a ocorrência fora do comum que, por sua vez, logo pode tornar-se novamente rotineira e fazer parte da paisagem do nosso irreflexivo cotidiano.

A viagem da rotina para o extraordinário, porém, depende de uma série de fatores. Ela pode variar de sociedade para sociedade e pode ser realizada tanto coletiva quanto individualmente. Nossa biografia se faz precisamente pela alternância de situações que foram esquecidas com situações que "guardamos" como tesouros ou cicatrizes em nossa cabeça e que formam o que denominamos "memória". De fato, tal idéia traduz, de maneira muito precisa, essa verdadeira dialética entre o que é lembrado com *saudade* como maravilhoso, formidável ou poético, ao lado de tudo que foi vivido como doloroso, trágico e ruim (aquilo que na nossa existência entra como extraordinário, positiva ou negativamente valorizado), e os outros eventos que simplesmente não são lembrados, perdendo-se nas sombras do passado e do tempo vivido e jamais recuperado. Há, pois, um tempo lembrado, que vira memória e saudade; e um tempo simplesmente vivido, que se vai e morre na distância do passado.

As sociedades e os grupos fazem coisas parecidas. E a memória social (isso que vulgarmente se chama "tradição" ou "cultura"), que é sempre feita de uma história com H maiúsculo, é também marcada por meio desses momentos que permitem alternâncias certas entre o que foi concebido e vivido como rotineiro e habitual e tudo aquilo que foi vivenciado como crise, acidente, festa ou milagre. Pois o homem é o único animal que se constrói pela lembrança, pela recordação e pela "saudade", e se "desconstrói" pelo esquecimento e pelo modo ativo com que consegue deixar de lembrar.

No Brasil, como em muitas outras sociedades, o rotineiro é sempre equacionado ao trabalho ou a tudo aquilo que remete a obrigações e castigos... a tudo que se é obrigado a realizar; ao passo que o *extra-ordinário*, como o próprio nome indica, evoca tudo que é fora do comum e, exatamente por isso, pode ser inventado e criado por meio de artifícios e mecanismos. Cada um desses lados permite "esquecer" o outro, como as duas faces de uma mesma moeda. E, no entanto, os dois fazem parte e constituem expressões ou reflexões de uma mesma totalidade, uma mesma coisa. Ou melhor: tanto a festa quanto a rotina são modos que a sociedade tem de exprimir-se, de atualizar-se concretamente, deixando ver a sua "alma" ou o seu coração. Na nossa sociedade, temos grande consciência dessa alternância, de tal modo que a vida, para a maioria de nós, se define sempre pela oscilação entre rotinas e festas, trabalho e feriado, despreocupações e "chateações", dias felizes e momentos dolorosos, vida e morte, os dias de "dureza" e "trabalho duro" do mundo "real" e os dias de alegria e fantasia desse "outro lado da vida" constituído pela festa, pelo feriado e pela ausência de trabalho para o outro (o patrão, o Governo, o chefe, o dono do negócio etc.). Realmente, na festa, comemos, rimos e vivemos o mito ou utopia da ausência de hierarquia, poder, dinheiro e esforço físico. Aqui, todos se harmonizam por meio de conversas amenas e, na construção da festa, a música que congrega e iguala no seu ritmo e na sua melodia é algo absolutamente fundamental no caso brasileiro. No trabalho, porém, estamos martelando e construindo, batendo massa ou "batendo perna" para a companhia, para a família, para a mulher e os filhos, "para a honra da firma" ou de alguma coisa que efetivamente exige o nosso sacrifício. Para nós, brasileiros, a festa é sinônimo de alegria, o trabalho é eufemismo de castigo, dureza, suor.

O trabalho sempre indica a idéia (ou ideal) da construção do homem pelo homem. Um controle da vida e do mundo pela sociedade. Todas as rotinas produtivas, sobretudo nas sociedades protestantes e plenamente industrializadas, são marcadas pela previsão e pela racionalidade. Há um mínimo de interferência de fatores internos (as emoções de quem trabalha são inteiramente controladas) e externos (o tempo e o espaço são igualmente mapeados com grande precisão, de modo que o local de trabalho fica longe da casa. É algo produzido para o próprio trabalho, como uma fábrica ou usina...).

Até mesmo no caso da produção agrícola, ocorre essa diagramação, de modo que a tentativa é sempre de criar uma seqüência onde o controle é total. Não deve haver surpresas, não deve haver acidentes, não deve haver coisa alguma de extraordinário, exceto, obviamente, o aumento da produção.

Quando ocorre algo que não diga respeito a esse fator, então foi porque um acidente ocorreu. E os acidentes aqui são medidos e estudados dentro da ideologia de segurança e controle que preside a todo triunfo da economia no nosso sistema. De fato, dentro dessa perspectiva, pode-se até mesmo dizer que o grande acidente que hoje atinge uma fábrica é a greve; ou seja, o extraordinário criado por um dos fatores de produção, a força de trabalho...

Na sociedade industrial, a ausência de movimento é sintoma de mal-estar social. O acidente — aquilo que não foi planejado ou previsto — é também sinal de que algo está indo mal. Apesar de todas as medidas contra o extra-ordinário, contra o acidente e contra a coincidência negativa, porém sabemos que ela acontece. A palavra *catástrofe*, que tanto usamos para definir tais situações, significa precisamente "reviravolta", de modo que é perfeita para esses casos. Aqui, conforme estamos percebendo, estamos diante de *extra-ordinários* não-planejados e não-previstos pela sociedade. Escapando do seu controle consciente, esses eventos surgem como tragédias que nos atingem, como catástrofes que colocam em causa nossa capacidade de organização e nossa possibilidade de sobrevivência como coletividade. Furacões, tempestades, enchentes, terremotos, pestes, inundações e coisas do gênero são situações fora da rotina, mas são situações não-planejadas. Quando o mundo é vivido desse modo, ele deixa de fazer o sentido comum, dando a impressão de que está no fim. É a reviravolta do Dia do Juízo, podemos pensar. Mas é preciso acentuar que tais situações também promovem o encontro e a solidariedade entre os homens. De fato, diante da revolta imensa da natureza, todos podem unir-se fora de suas posições sociais e políticas rotineiras e, assim fazendo, podem encontrar-se como irmãos de infortúnio, ou seres humanos fazendo face à tremenda indiferença da natureza em relação à sociedade, e não mais como patrões e empregados, ricos e pobres, homens e mulheres, oprimidos e opressores...

Ao lado, porém, desses *extra-ordinários* que são acidentais, que ninguém desejou e que não foram planejados pela sociedade, existem momentos especiais que o próprio grupo planeja, constrói, inventa e espera. Ambos, é claro, constroem a memória da sociedade, mas são os segundos que servem como as verdadeiras roupagens pelas quais a sociedade cria e recria sua identidade social e suas tradições. O momento fora do comum que é planejado e tem tempo marcado para acontecer, portanto, é um espelho muito importante pelo qual a sociedade se vê a si mesma e pode ser vista por quem quer que deseje conhecê-la.

Todos os sistemas constroem suas festas de muitos modos. No caso do Brasil, a maior e mais importante, mais livre e mais criativa, mais irreverente e mais popular de todas é, sem dúvida, o carnaval. Aliás, nessa festa, a própria definição já perturba, pois exclui de modo sistemático todos os elementos que nenhuma festa pode dispensar e que são importantes para o seu próprio desenrolar. Quero referir-me a todos os elementos de ordem, de economia e política que o carnaval certamente implica — como todo evento especial —, mas que ficam necessariamente excluídos de sua definição. De fato, conforme sabemos como brasileiros, o carnaval não pode ser sério. Senão não seria um carnaval...

Mas como definir o carnaval? Não seria exagero dizer, é uma ocasião em que a vida diária deixa de ser operativa e, por causa disso, um momento extraordinário é inventado. Ou seja: como toda festa, o carnaval cria uma situação em que certas coisas são possíveis e outras devem ser evitadas. Não posso realizar um carnaval com tristeza, do mesmo modo que não posso ter um funeral com alegria. Certas ocasiões sociais requerem determinados sentimentos para que possam ocorrer como tais. Tragédias são definidas como eventos tristes e tudo que nelas ocorre de cômico deve ser inibido ou simplesmente ignorado. Carnavais e comédias, ao contrário, são episódios em que o triste e o trágico é que devem ser banidos

do evento, como as roupas do rei que estava nu e não podia ser visto como tal...

Mas como é que o povo define e vê o Brasil no carnaval? Qual a receita para o carnaval brasileiro?

Sabemos que o carnaval é definido como "liberdade" e como possibilidade de viver uma ausência fantasiosa e utópica de miséria, trabalho, obrigações, pecado e deveres. Numa palavra, trata-se de um momento onde se pode deixar de viver a vida como fardo e castigo. É, no fundo, a oportunidade de fazer tudo ao contrário: viver e ter uma experiência do mundo como excesso — mas agora como excesso de prazer, de riqueza (ou de "luxo", como se fala no Rio de Janeiro), de alegria e de riso; de prazer sensual que fica — finalmente — ao alcance de todos. A "catástrofe" que o carnaval brasileiro possibilita é a da distribuição teórica do prazer sensual para todos. Tal como o desastre distribui o malefício ou a infelicidade para a sociedade, sem escolher entre ricos e pobres, como acontece normalmente, o carnaval faz o mesmo, só que ao contrário. O Rei Momo, Dionísio, o Rei da Inversão, da Antiestrutura e do Desregramento, coloca agora uma possibilidade curiosa e, por isso mesmo, carnavalesca e impossível no mundo real das coisas sérias e planificadas pelo trabalho. E que ele sugere um universo social onde a regra é praticar sistematicamente todos os excessos!

Entre nós, brasileiros, realizar isso é poder descobrir que o carnaval é percebido como algo que vem de fora, como uma onda irresistível que nos domina, controla e, melhor ainda, seduz inapelavelmente. Algo que chega até nós periodicamente sem que haja possibilidade de resistir. É também descobrir que, por causa disso mesmo, todos são iguais — ou podem ser iguais — perante o carnaval. Desse modo, o carnaval, com suas regras de inversão, fica como que deslocado da realidade cotidiana, podendo ser vivido como algo de fora e, daí, como algo que surge como uma regra ou lei natural que teria validade para todos, independentemente de sua posição na estrutura social. Ou apesar dela... Ou por causa dela...

Mas que é isso que o carnaval consegue fazer com o Brasil? Que extraordinário é esse que chamamos coletivamente de carnaval?

Penso que o carnaval é basicamente uma inversão do mundo. Uma catástrofe. Só que é uma reviravolta positiva, esperada, planificada e, por tudo isso, vista como desejada e necessária em nosso mundo social. Nele, conforme sabemos, trocamos a noite pelo dia; ou, o que é ainda mais inverossímil: fazemos uma noite em pleno dia, substituindo os movimentos da rotina diária pela dança e pelas harmonias dos movimentos coletivos que desfilam num conjunto ritmado, como uma coletividade indestrutível e corporificada na música e no canto. No carnaval, trocamos o trabalho que castiga o corpo (o velho *tripalium* ou canga romana que subjugava escravos) pelo uso do corpo como instrumento de beleza e de prazer. No trabalho, estragamos, submetemos e gastamos o corpo. No carnaval, isso também ocorre, mas de modo inverso. Aqui, o corpo é gasto pelo prazer. Daí por que falamos que "nos esbaldamos" ou "liquidamos" no carnaval. Aqui, usamos o corpo para nos dar o máximo de prazer e alegria...

Pela mesma lógica, o carnaval permite a troca e a substituição dos uniformes pelas fantasias. Sabemos que o uniforme (como todas as vestes formais do mundo diário) cria a ordem. O uniforme é uma roupa que "uniformiza", isto é, faz com que todos fiquem iguais, sujeitos a uma mesma ordenação ou princípio de governo. Mas a fantasia permite a invenção e a troca de posições. Note-se que, no Brasil, não falamos em máscaras, mas em fantasias. O nosso termo é mais abrangente em pelo menos dois sentidos muito precisos. Primeiro, ele diz mais do que algo que serviria apenas para tapar ou disfarçar o rosto ou o nariz. Depois, porque a palavra "fantasia" tem duplo sentido. É algo em que se pode pensar acordado, o sonho que se tem quando a rotina mais nos escraviza e revolta; e também a roupa que só se usa no carnaval ou para uma situação carnavalizadora. Assim, ela permite que possamos ser tudo o que queríamos, mas que a "vida" não permitiu. Com ela — e jamais com o uniforme —, conseguimos uma espécie de compromisso entre o que realmente somos e o que gostaríamos de ser. O uniforme achata, ordena e hierarquiza. A fantasia liberta, *des-constrói*, abre caminho e promove a passagem para outros lugares e espaços sociais. Ela permite e ajuda o livre trânsito das pessoas por dentro de um espaço social que o mundo cotidiano torna proibitivo com as repressões da hierarquia e dos preconceitos estabelecidos. É a fantasia que permite passar de *ninguém* a *alguém*; de marginal do mercado de trabalho a figura mitológica de uma história absolutamente essencial para a criação do momento mágico do carnaval. Se no mundo diário estamos todos limitados pelo dinheiro que se ganha (ou não se ganha...), pelas leis da sociedade, do mercado, da casa e da família, no carnaval e na fantasia temos a possibilidade do disfarce e da liberação. Há a possibilidade de virar onipotente e ser tudo o que se tem vontade. Ora, é precisamente por estar vivendo num mundo assim constituído, onde as regras do mundo diário estão temporariamente de cabeça para baixo, que posso ganhar e realmente sentir uma incrível sensação de liberdade. Sensação de liberdade que me parece fundamental numa sociedade cuja rotina é dominada pelas hierarquias que sujeitam a todos a uma escala complexa de direitos e deveres vindos de cima para baixo, dos superiores para os inferiores, dos "elementos" que entram na fila e das "pessoas" que jamais são vistas em público como comuns.

Realmente, se no mundo diário somos governados pelo ditado e pela lógica social que diz "cada macaco no seu galho" e também "um lugar pra cada coisa, cada coisa em seu lugar", no carnaval criamos um cenário e uma atmosfera social onde tudo isso pode ser trocado de lugar, invertido e subvertido pelas leis que comandam o reinado de Momo. Não é por simples acaso que chamamos o carnaval e a cena carnavalesca de "loucura"! O termo loucura aqui surge porque, no carnaval, tudo estaria fora de lugar — *carnavalizado*, como diz Bakhtin, que introduziu esse conceito no estudo das manifestações do carnaval europeu para exprimir intelectualmente suas múltiplas vozes e textos. De fato, no caso do Brasil, andamos pelas ruas do centro comercial de nossas cidades com a roupa que queremos e em pleno dia, sem a menor preocupação de sermos atropelados ou vistos por nossos patrões, pais ou amigos aristocráticos. Muito pelo contrário, ao sermos vistos, eles é que correm o risco de serem seduzidos pela nossa investida carnavalesca. Comemos e bebemos nas ruas, trocando a casa pelo mundo público e ali realizando ações que são banidas do mundo social aberto. Dormimos no asfalto, em plena rua: local perigoso e maldito, com seu cotidiano cruel e movimentado, mas estranhamente pacífico e seguro no carnaval. Podemos até mesmo fazer amor com proteção oficial e policial, pois Governo e polícia, que durante todo o ano nos cobrem de impostos e compostura, agora nos defendem e compreendem com simpatia o nosso desejo e a nossa humanidade carnavalesca, ou melhor, protegida pelo carnaval. No carnaval nós cantamos e nos harmonizamos, movimentando nossos corpos em ritmos acasalados, em vez de reclamar, discursar ou escrever. Aqui, a mensagem deixa de ser importante e o que vale é também o canto pelo canto, a música pela música, a alegria pela alegria. Como os fogos de artifício que explodem para o deleite dos olhos, o discurso carnavalesco está também auto-referenciado. Todos podemos, assim, virar poetas. Além disso, o carnaval obriga a uma grave sinceridade. Não se pode freqüentar o carnaval sem vontade. De fato, posso ir a uma cerimônia oficial, como uma formatura, posse ou casamento, sem sentir nada, até mesmo achando tudo aquilo aborrecido e maçante. Mas não posso fazer o mesmo se vou a um baile de carnaval, onde corpo e alma devem estar juntos e serei punido se me mostrar "bem-comportado". No carnaval, nós, brasileiros, cantamos e, geralmente, podemos fazer o que cantamos, o que permite que as pessoas se olhem e, subitamente, se vejam em sua unidade como "pessoas" e em sua diversidade como membros de uma comunidade social e politicamente diferenciada. O diverso, o diferente — o universo da individualidade —, que é tão temido na vida diária, é moeda corrente no carnaval, onde todos podem surgir como indivíduos e como singularidade, exercendo o direito de interpretar o mundo do seu "jeito" e a seu modo. Igualmente, a crítica social, que pode dar em prisão e censura, é realizada abertamente, tanto quanto a competição, que todos temem como algo monstruoso, mas é também aceita em todos os carnavais brasileiros, feitos de inúmeros concursos. De fato, essa competição é tão aberta que há competição para tudo: músicas, fantasias, maior capacidade de exibir-se e, naturalmente, a disputa dos blocos e escolas de samba, sobretudo no caso do Rio de Janeiro. Aqui, o mundo fica mesmo de cabeça para baixo. Não somente porque as "escolas" são de gente pobre e que vive nos morros e subúrbios do Rio, zonas que congregam a massa dos subempregados locais, mas talvez por estarmos aqui para assistir a um monumental concurso público, a uma fantástica competição onde tanto os jurados oficiais quanto o público em geral conhecem todas as regras e todos os meios de perder e vencer. Coisa do outro mundo? Algo extraordinário? Claro que sim. Numa sociedade que jamais vive a si mesma como um jogo ou concurso em que as pessoas podem mudar de lugar pelo próprio desempenho, tudo isso é fora do comum. Basta observar que nós, brasileiros, somos um povo marcado e dividido pelas ordens tradicionais: o nome de família, o título de doutor, a cor da pele, o bairro onde moramos, o nome do padrinho, as relações pessoais, o ser amigo do Rei, Chefe Político ou Presidente. Tudo isso nos classifica socialmente de modo irremediável. Jamais utilizamos o concurso público e a competição como algo normal entre nós, daí o trabalho que é fazer uma eleição honesta e disputada. Ela implica, inclusive, algo que evitamos: dar opiniões e disputar vontades, revelando abertamente as nossas mais legítimas (e ocultas) diferenciações sociais. Mas que coisa milagrosa! Agora, em plena festa carnavalesca, podemos finalmente nos abrir para as nossas aspirações e associações, revelando legitimamente os nossos desejos e vontades. É o que faz esse concurso de escolas de samba que, sabemos, só pode ser ganho no pé. Na base do desempenho, do *élan* e da vontade de vencer. Aqui, os apadrinhamentos são policiados e o povo age como jamais pode realmente operar: como juiz supremo que conhece as regras do jogo e as aplica com gana e justiça.

Carnaval, pois, é inversão porque é competição numa sociedade marcada pela hierarquia. É movimento numa sociedade que tem horror à mobilidade, sobretudo à mobilidade que permite trocar efetivamente de posição social. É exibição numa ordem social marcada pelo falso recato de "quem conhece o seu lugar" — algo sempre usado para o mais forte controlar o mais fraco em todas as situações. É feminino num universo social e cosmológico marcado pelos homens, que controlam tudo o que é externo e jurídico, como os negócios, a religião oficial e a política. Por tudo isso, o carnaval é a possibilidade utópica de mudar de lugar, de trocar de posição na estrutura social. De realmente inverter o mundo em direção à alegria, à abundância, à liberdade e, sobretudo, à igualdade de todos perante a sociedade. Pena que tudo isso só sirva para revelar o seu justo e exato oposto...

6

As festas da ordem

As festas permitem descobrir oscilações entre uma visão alegre e uma leitura soturna da vida. Permitem igualmente inventar temporalidades diferenciadas, pois promovem uma duração muito rápida — com tudo podendo acontecer no momento da festa, como é o caso do carnaval — ou muito lenta e pesada, como acontece com quase todos os rituais da ordem, ou formalidades. Todas as festas — ou ocasiões extraordinárias — recriam e resgatam o tempo, o espaço e as relações sociais. Nelas, aquilo que passa despercebido, ou nem mesmo é visto como algo maravilhoso ou digno de reflexão, estudo ou desprezo no quotidiano, é ressaltado e realçado, alcançando um plano distinto. Assim, é na festa que tomamos consciência de coisas gratificantes e dolorosas. Que não podemos comparecer porque não somos da mesma classe social; que não podemos desempenhar papel importante porque não somos daquela corporação; que somos bons dançarinos e que valsamos com graça e leveza, pois na festa alguém assim nos disse; que aquela moça é realmente linda porque assim se apresentou no baile de formatura; que nosso amigo é excelente orador porque foi a festa que o destacou como tal. Como se observa, são inúmeras as situações em que a festa promove a descoberta do talento, da beleza, da classe social, do preconceito e da alegria. Não seria possível esgotá-las. Mas posso distinguir, e assim devo proceder, as festas da ordem daquelas que promovem a "desordem" ou a orgia, que fica no limite do crime e da revolta.

Sustento que, no caso brasileiro, todas as solenidades permitem ligar a casa, a rua e outro mundo. Só que cada uma delas faz essa ligação de modo específico e a partir de posições diferentes. O carnaval liga casa, rua e outro mundo querendo e propondo a abertura de todas as portas e de todas as muralhas e paredes. Os ritos cívicos e religiosos — as festas da ordem por excelência — fazem o mesmo, mas suas propostas são diferentes. De fato, nos carnavais e orgias, o propósito básico parece ser o de igualar e juntar. Seu objetivo é abolir todas as diferenças, ou pelo menos foi assim que viu Bakhtin nas sociedades hierarquizadas. Mas no caso das festas da ordem, ou seja, das formalidades sociais em que se celebram as relações sociais tal como elas operam no mundo diário, as diferenças são mantidas. Aqui, ao contrário do carnaval, o que se está celebrando é a própria ordem social, com suas diferenças e gradações, seus poderes e hierarquias. Não se deseja virar o mundo de pernas para o ar, colocando-o de cabeça para baixo, mas o que se pretende é precisamente celebrar o mundo tal como ele é no quotidiano. Daí por que, em outro lugar (no meu livro *Carnavais, malandros e heróis*), chamei os carnavais de "ritos de inversão" e os festivais da ordem de "ritos de reforço". Minha idéia era salientar essas propriedades estruturais de um e outro momento solene: o carnaval promovendo a igualdade e a supressão de fronteiras, e as festas cívicas e religiosas promovendo a sua glorificação e manutenção.

Desse modo, os rituais religiosos partem de igrejas e locais sagrados, pretendendo ordenar o mundo de acordo com os valores que são ali articulados como os mais básicos. O mundo de Deus — representado pela Igreja Católica e pelas formas de religiosidade que a ela se referem — é um universo onde as coisas se ordenam de modo plenamente vertical. De cima para baixo e de baixo para cima. Com Deus, a Virgem Maria, os santos, os anjos, os mártires, os beatos, os sacerdotes e os fiéis formando uma cadeia: do altar-mor, onde essa verticalidade está instituída, até o adro da igreja, onde as pessoas se espalham, misturando o profano com o sagrado. Aqui, a ordem é paradoxalmente salientada e ao mesmo tempo negada, pois — conforme sabemos — a Igreja declara explicitamente que seu reino não é deste mundo, mas do outro. E Deus, os santos e a Virgem podem interceder e agraciar com sua ajuda qualquer pessoa. Eles são patrocinados pelas igrejas, mas a Igreja (ou igrejas) não os possui nem pode controlar suas ações. Ela pode interpretá-los, mas suas vozes têm códigos próprios que a própria Igreja pode desconhecer, embora deva saber reconhecer. Desse modo, o espaço religioso demarca uma área onde é possível encontrar o rico e o pobre, o poderoso e o fraco, o sadio e o aleijado, o homem e a mulher, o adulto e a criança, o santo e o pecador, o crente fervoroso e o freqüentador esporádico e distante.

O patrocínio ou patronagem dos santos e deuses cria essas regiões neutras, mas hierarquicamente ordenadas, onde existe uma espécie de carnaval devoto ou terra de ninguém, já que todos podem encontrar-se com todos dentro desse espaço. Mas é preciso acentuar que essa carnavalização (ou troca de lugar) nada tem a ver com excessos ou com a possibilidade de virar o mundo de cabeça para baixo. Ao contrário, nos ritos da ordem em geral, e nos rituais religiosos em particular, o comportamento é marcado pela contrição e pela solenidade que se concretizam nas contenções corporais e verbais. O corpo, então, na Igreja e nas solenidades da ordem é marcado pela rigidez dos gestos e por formas obrigatórias de gesticulação. São maneiras de marcar a contenção e de promover a uniformidade e a tranqüila obediência dos fiéis ou servidores, já que tudo isso conduz a uma visão ordenada da própria ocasião formal. Também é possível que tais formas de ritualização pretendam assegurar o respeito a qualquer preço, pois a contenção do corpo significa, de certo modo, a liberdade do espírito, que pode ou não estar presente com a mesma convicção na solenidade. Assim, eu posso estar ajoelhado numa igreja, mas ter meu espírito muito longe dali, o que no caso de um ritual orgiástico é impossível, dada a solicitação em que o corpo e o espírito estão implicados. De fato, num almoço com os amigos ou num baile de carnaval, não posso deixar de me envolver. A festa carnavalesca requer tudo de mim: meu corpo e minha alma, minha vontade e minha energia. Mas as festas da ordem parecem dispensar essa motivação totalizada. Daí, talvez, essas regras rígidas de contenção corporal, verbal e gestual nos ritos da ordem.

O poder do *sagrado*, conforme dizia o sociólogo francês Émile Durkheim, é um poder que permite distinguir o mundo diário, com suas rotinas automáticas e que tendem a uma inércia e uma indiferenciação cada vez maiores, esse sistema de coisas que eram chamadas de "profanas", das coisas e do universo de Deus e do Alto. Para separar um dos outros, nada melhor que os sinais de respeito e de contenção física e social: andar na ponta dos pés, falar baixinho, usar uma linguagem diferente — exótica ou morta, como o latim ou o hebraico —, vestir roupas especiais também antigas ou totalmente diferentes dos costumes do mundo diário — roupas que transformam o masculino em algo ambíguo ou o feminino em alguma coisa neutra.

A leitura da sociedade facultada pelos ritos da ordem, então, é uma leitura onde o corpo deve ser contido ou até mesmo neutralizado. A continência militar é excelente exemplo disso, pois os ritos da ordem incluem também as grandes comemorações militares, como as paradas — que são formas típicas de comemoração social em que o universo da sociedade é lido ou apresentado a partir do código do Estado na sua vertente mais forte, mais ordenada e, talvez por isso mesmo, mais patriótica: a de suas Forças Armadas, que desfilam em saudação formal às autoridades constituídas. De acordo com isso, lembro que a palavra "continência" significa um ato cujo sentido profundo é precisamente o de conter-se, controlar-se, dominar-se...

Tudo isso é salientado com precisão em todos os ritos da ordem — sejam cívicos ou religiosos — onde a idéia de sacrificar o corpo (um centro de prazer dado imediatamente pela experiência humana) pela pátria, por Deus ou por um partido político acaba se exprimindo pela noção de *dever*, de *devoção* e de *ordem*. O que contrasta tremendamente com os rituais carnavalescos, onde ocorre exatamente o oposto, já que no carnaval os valores salientados são o prazer pelo corpo (daí sua capacidade igualitária e grotesca) e, com isso, a desordem obtida através dele, que conduz a uma radical transformação, temporária mas intensa, da estrutura social.

Nas festas da ordem, a ênfase é sempre colocada na ordem, na regularidade, na repetição, na marcha ordeira, no cântico cadenciado, no controle do corpo que, repito, remete à idéia de sacrifício e disciplina, esses dois ingredientes básicos da promessa. Aqui, o mundo é englobado e apresentado pelas posições sociais que a sociedade considera importantes. Seu foco é nas autoridades: de Deus, Pátria, Saúde, Educação e Instrução. Nisso, eles revelam, ampliando,as diferenciações sociais já existentes no mundo diário, onde as pessoas efetivamente se distinguem por meio de cadeias hierárquicas que indicam e revelam sua importância na reprodução da ordem social conhecida. Desse modo, se uma pessoa é presidente, governador, senador, deputado, secretário, juiz ou professor, é exatamente assim que deve aparecer nos ritos da ordem. Pela mesma lógica e seguindo o mesmo princípio do reforço e da ampliação, se a pessoa não tem qualquer autoridade ou posição social e faz parte daquilo a que chamamos genericamente "povo", é deste lado que deve ficar. Entre autoridades e povo, nessas ocasiões solenes e formais, há uma clara divisão. Seja uma cerca, seja um espaço vazio, seja um palanquim ou outra construção qualquer que permita imediatamente saber quem é quem, pois os ritos da ordem não admitem a confusão de papéis ou posições. Tais distinções ocorrem até mesmo nas grandes procissões, onde uma grossa corda separa o santo (ou santa) e as autoridades eclesiásticas, civis e militares que estão em sua volta, geralmente carregando juntas o andor, do povo em geral, que está ao redor e que forma um oceano generalizado de devotos que se misturam. Foi por perceber esse centro tão ordenado e esse "resto" tão carnavalescamente desordenado, que eu já afirmei anteriormente que aqui tínhamos uma estrutura de "tipo cometa". Algo que possuía um centro voltado para a ligação formal entre o céu e a terra, mas por meio das autoridades constituídas, que, por sua vez, se ligavam ao povo em geral na forma de uma bela, se não contundente, dramatização da hierarquia e da autoridade. Daí por que, nas procissões, o povo força a corda para passar para o lado das autoridades e para perto do santo. De fato, "pular a corda" ou passar por ela significa, nesse contexto simbólico, uma mudança significativa de posição social.

Se os ritos da desordem promovem temporárias *des*-construções ou *re*-arrumações sociais, os ritos da ordem marcam de forma taxativa quem é ator e quem é espectador. Aqui não há a menor possibilidade de trocar de lugar, exceto — é claro — pela quebra do protocolo. E realmente a palavra protocolo revela esse código rígido que todos devem seguir para que o cerimonial possa "dar certo". Ou seja: para que o ritual possa ser um momento coerente de ordem perfeita e sem aquelas dissonâncias que o mundo diário é mestre em nos apresentar. É, justamente, esse resgate da ordem que tais rituais pretendem realizar por meio dessas dramatizações.

Daí, certamente, a associação entre cerimonial e poder. É que o ritual reveste o poder, dando-lhe uma forma exterior solene e legítima. De modo que todos os rituais sempre assumem a forma básica de um desfile, procissão ou parada militar — formas de apresentação social desinibida e exuberante, onde as corporações que passam e se apresentam revelam-se em todo o seu esplendor ou miséria. No Brasil, significativamente, usamos a palavra desfile para o caso do carnaval, parada para as comemorações cívicas ligadas à nossa Independência e procissão para as festividades religiosas. Todas elas têm sempre um ponto de partida formalizado e preestabelecido e um ponto de chegada igualmente fixado. Nas procissões, como nas paradas militares, a partida é um centro físico e social de autoridade e poder religioso ou militar: uma igreja ou quartel. Seu roteiro, por outro lado, marca uma área onde se sacraliza um dado espaço da cidade que, por isso mesmo, acaba se tornando nobre ou sagrado. É um espaço que deve ficar aberto ao ritual e, em conseqüência, fechado às atividades de rotina do mundo diário. No caso do Rio de Janeiro, cidade que vou tomar como exemplo, as paradas militares quase sempre se realizam em frente ao Panteão do Exército Nacional, local situado em frente ao Ministério da Guerra, onde estão sepultados os restos mortais do Duque de Caxias, patrono do Exército Brasileiro e das Forças Armadas em geral. Não poderia existir local mais sagrado que esse, em termos da nossa História. Além disso, o desfile militar apresenta uma dramatização da guerra — do mesmo modo que a procissão dramatiza as hierarquias celestes. De fato, no desfile, os soldados se apresentam com suas armas, comandados por seus superiores, mas de modo rigorosamente ordeiro. Dão uma demonstração de obediência, disciplina e ordem, como a revelar a sua disposição de cumprir seu dever de defender a Pátria a qualquer custo, se isso for realmente necessário. Todos os Estados nacionais modernos têm essas formas de desfile, embora apresentem importantes variações que denunciam diversidades políticas e sociais significativas. Por exemplo, o dia da pátria nos Estados Unidos é uma festa pública, sem dúvida, mas que raramente é comemorada com um desfile ou parada militar. Lá, sua forma mais comum de celebração são os piqueniques realizados por famílias que, juntas, vão para os parques e jardins das cidades acenar bandeiras, disparar foguetes ou simplesmente comer e calmamente conversar.

No caso brasileiro, as paradas militares são ponto importante daquilo que denominei "triângulo ritual". De fato, na nossa sociedade temos o desfile militar para as autoridades, ou melhor, como rito destinado a celebrar a relação do Estado com o povo. Temos as procissões que focalizam as relações dos homens com Deus através da Igreja. E temos, finalmente, o desfile do carnaval, que faz o povo ser ao mesmo tempo espectador e ator. Em todos os casos, a sociedade celebra aquilo que certamente considera fundamental para a sua estrutura social e — o que é interessante apontar no caso brasileiro —, para cada instituição importante, há um lugar e uma forma dramática de apresentação ritual. Temos, então, numa fórmula muito simplificada: o Estado com seu poder visitando o povo; Deus e os seus santos saindo da esfera sagrada para também visitarem o mundo profano das cidades; e, finalmente, o povo apresentando-se a si mesmo como alegre, forte, galante, elegante e luxuoso nos desfiles carnavalescos. Nada me parece mais funcional que essa forma de vivenciar os valores.

Mas os rituais da ordem não se esgotam nessas festas grandiosas em que o mundo social é reafirmado e englobado pelo Estado e pela Igreja. Eles também estão presentes em situações muito mais familiares a todos nós, como as festas de formatura e os ritos de posse em cargos públicos, em que uma mesa geralmente separa as pessoas que são o foco do cerimonial e os seus convidados; e em todas as crises de vida e ritos de passagem em geral, como nascimentos, batizados, crismas, casamentos e funerais. Nessas ocasiões, que também são solenes, a troca de discursos, o uso de roupas especiais, a existência de representantes duplos (como ocorre nas festas de formatura) permitem descobrir esses mesmos elementos que exageram a ordem social constituída e aparente e, também, a contenção dos gestos e do comportamento em geral. Também aqui há um idioma especial, facilmente aprendido nos lugares-comuns de uma retórica que todo adulto pode repetir sem esforço. E há também os gestos típicos e os objetos indispensáveis, como o anel de grau no caso das formaturas, as alianças no caso dos casamentos e o bolo de aniversário no caso da passagem de idade.

Em geral, todas essas festas comemoram ou celebram alguma coisa que, supomos, realmente aconteceu. A vida de um santo é uma história exemplar a ser imitada pelos homens, e a procissão que ao santo se dedica diz um pouco dessa caminhada terrena para o Céu, reproduzindo-a numa espécie de teatro cristão que é o ritual religioso. Do mesmo modo, em formaturas e aniversários, casamentos e funerais, resgata-se sempre algum tipo de exemplo, alguma forma de modelo, seja para o aniversariante ou formando seguir, seja para que seus parentes e amigos possam ser consolados. O homem é um animal que busca o sentido em tudo — esta é sua sina. E tais ocasiões são situações privilegiadas em que os grupos se comprazem na busca de um sentido profundo para suas vidas. Sentido que assegura, de certo modo, a continuidade da vida coletiva, mesmo quando ameaçada pela extinção, como é o caso dos rituais funerários.

As festas patrocinadas pelo Estado, como as comemorações da Independência, também celebram uma ocorrência real, o nascimento de uma nação, e por isso são eventos paradigmáticos que justificam a importância da data. Aqui estamos diante de um rito de calendário coletivo, um aniversário (e uma formatura) nacional. Evento que congrega simultaneamente, numa espécie de síntese, uma série de ritos de passagem. É morte de uma relação (o elo colonial), é nascimento de outra vida (o país que se torna independente). É também carnaval libertador, cerimonial instaurador e inaugurador. É solenidade profana ligada ao poder e à vontade dos homens, e igualmente rito sagrado onde se agradece a ajuda de Deus pelo desfecho favorável de um movimento de ruptura que geralmente é marcado pela violência.

Tudo isso permite notar que os ritos da ordem têm um centro. Seja um evento, seja um personagem, seja um objeto; neles existe, como centro, uma cena básica que deve estruturar o rito como um todo, além de ações e cenários periféricos. Isso fica muito claro em aniversários, formaturas e funerais, onde há um centro e um momento culminante, sem o qual não se tem nem mesmo a necessidade de proceder ao drama. O caso da festa de aniversário é um bom exemplo disso, pois a mesa e o bolo são aqui personagens centrais, sendo parte de seu ponto culminante que tem a ver com a forma ritualizada como se ingere um produto profundamente identificado com o aniversariante, sendo seu representante simbólico. Desse modo, o bolo do aniversariante e o número de velas que o enfeitam e que queimam correspondem ao número de anos que foram "queimados" na própria vida de quem está sendo homenageado. Bolo e pessoa, assim, são uma só pessoa moral. E essa pessoa é "comida" simbolicamente por todos, num ato pleno de comunhão e de divisão física que vem cimentar ritualmente os elos sociais entre aniversariante e convidados.

De interesse aqui é indicar que as pessoas estão todas distribuídas ao longo desse centro que, ao contrário do carnaval (onde o mundo é fragmentado e descentralizado, e muita coisa ocorre ao mesmo tempo), possui um sincronismo, uma coordenação com o evento central. Isto é, tudo acontece de modo orquestrado e em equilíbrio com o evento centralizador de todas as atenções. Assim, enquanto não se pode jamais chegar atrasado a uma festa carnavalesca, pois o evento começa quando se chega, nos ritos da ordem se corre sempre o risco dessa perda. Isso prova que tais solenidades talvez sejam mais legitimadoras do que simplesmente comemorativas, donde a importância da presença e da atenção de todos a seus eventos centrais.

Tudo isso nos fala de um ritmo social, um movimento que indica algo como um oscilar entre forma e conteúdo, centro e periferia, continência física e excesso. Como o tique-taque de um relógio, ou a batida de um coração, ou o bumbo de carnaval, ou as máscaras que são postas e tiradas na revelação de que os homens vivem *entre* as coisas. Eternos ritualizados, sempre passageiros...

7

O modo de navegação social: a malandragem e o "jeitinho"

Entre a desordem carnavalesca, que permite e estimula o excesso, e a ordem, que requer a continência e a disciplina pela obediência estrita às leis, como é que nós, brasileiros, ficamos? Qual a nossa relação e a nossa atitude para com e diante de uma lei universal que teoricamente deve valer para todos? Como procedemos diante da norma geral, se fomos criados numa casa onde, desde a mais tenra idade, aprendemos que há sempre um modo de satisfazer nossas vontades e desejos, mesmo que isso vá de encontro às normas do bom senso e da coletividade em geral?

Num livro que escrevi — *Carnavais, malandros e heróis* —, lancei a tese de que o dilema brasileiro residia numa trágica oscilação entre um esqueleto nacional feito de leis universais cujo sujeito era o indivíduo e situações onde cada qual se salvava e se despachava como podia, utilizando para isso o seu sistema de relações pessoais. Haveria assim, nessa colocação, um verdadeiro combate entre leis que devem valer para todos e relações que evidentemente só podem funcionar para quem as tem. O resultado é um sistema social dividido e até mesmo equilibrado entre duas unidades sociais básicas: o indivíduo (o sujeito das leis universais que modernizam a sociedade) e a pessoa (o sujeito das relações sociais, que con-

duz ao pólo tradicional do sistema) Entre os dois, o coração dos brasileiros balança. E no meio dos dois, a malandragem, o "jeitinho" e o famoso e antipático "sabe com quem está falando?" seriam modos de enfrentar essas contradições e paradoxos de modo tipicamente brasileiro. Ou seja: fazendo uma mediação também pessoal entre a lei, a situação onde ela deveria aplicar-se e as pessoas nela implicadas, de tal sorte que nada se modifique, apenas ficando a lei um pouco desmoralizada — mas, como ela é insensível e não é gente como nós, todo mundo fica, como se diz, numa boa, e a vida retorna ao seu normal...

De fato, como é que reagimos diante de um "proibido estacionar", "proibido fumar", ou diante de uma fila quilométrica? Como é que se faz diante de um requerimento que está sempre errado? Ou diante de um prazo que já se esgotou e conduz a uma multa automática que não foi divulgada de modo apropriado pela autoridade pública? Ou de uma taxação injusta e abusiva que o Governo novamente decidiu instituir de modo drástico e sem consulta?

Nos Estados Unidos, na França e na Inglaterra, somente para citar três bons exemplos, as regras ou são obedecidas ou não existem. Nessas sociedades, sabe-se que não há prazer algum em escrever normas que contrariam e, em alguns casos, aviltam o bom senso e as regras da própria sociedade, abrindo caminho para a corrupção burocrática e ampliando a desconfiança no poder público. Assim, diante dessa enorme coerência entre a regra jurídica e as práticas da vida diária, o inglês, o francês e o norte-americano param diante de uma placa de trânsito que ordena parar, o que — para nós — parece um absurdo lógico e social, pelas razões já indicadas. Ficamos, pois, sempre confundidos e, ao mesmo tempo, fascinados com a chamada disciplina existente nesses países. Aliás, é curioso que a nossa percepção dessa obediência às leis universais seja traduzida em termos de civilização e disciplina, educação e ordem, quando na realidade ela é decorrente de uma simples e direta adequação entre a prática social e o mundo constitucional e jurídico. É isso que faz a obediência que tanto admiramos e, também, engendra aquela confiança de que tanto sentimos falta. Porque, nessas sociedades, a lei não é feita para explorar ou submeter o cidadão, ou como instrumento para corrigir e reinventar a sociedade. Lá, a lei é um instrumento que faz a sociedade funcionar bem e isso — começamos a enxergar — já é um bocado! Claro está que um dos resultados dessa confiança é uma aplicação segura da lei que, por ser norma universal, não pode pactuar com o *privilégio* ou com a lei privada, aquela norma que se aplica diferencialmente se o crime ou a falta foi cometida por pessoas diferencialmente situadas na escala social. Isso que ocorre diariamente no Brasil, quando, digamos, um bacharel comete um assassinato e tem direito a prisão especial e um operário, diante da mesma lei, não tem tal direito porque não é, obviamente, bacharel... A destruição do privilégio engendrou uma justiça ágil e operativa na base do certo *ou* errado. Uma justiça que não aceita o mais-ou-menos e as indefectíveis gradações e hierarquias que normalmente acompanham a ritualização legal brasileira, que para todos os delitos estabelece virtualmente um peso e uma escala. Assim, aqui, todos podem ser primários ou não; e os crimes admitem graus de execução, estando de acordo com o princípio hierárquico que governa a sociedade. Sustento que é precisamente essa possibilidade de gradação que permite a interferência das relações pessoais com a lei universal, dando-lhe — em cada caso — uma espécie de curvatura específica que impede sua aplicabilidade universal que tanto clamamos e reclamamos.

Por tudo isso, somos um país onde a lei sempre significa o "não pode!" formal, capaz de tirar todos os prazeres e desmanchar todos os projetos e iniciativas. De fato, é alarmante constatar que a legislação diária do Brasil é uma regulamentação do "não pode", a palavra "não" que submete o cidadão ao Estado sendo usada de forma geral e constante. Ora, é precisamente por tudo isso que conseguimos descobrir e aperfeiçoar um modo, um jeito, um estilo de navegação social que passa sempre nas entrelinhas desses peremptórios e autoritários "não pode!". Assim, entre o "pode" e o "não pode", escolhemos, de modo chocantemente antilógico, mas singularmente brasileiro, a junção do "pode" com o "não pode". Pois bem, é essa junção que produz todos os tipos de "jeitinhos" e arranjos que fazem com que possamos operar um sistema legal que quase sempre nada tem a ver com a realidade social.

O "jeito" é um modo e um estilo de realizar. Mas que modo é esse? É lógico que ele indica algo importante. É, sobretudo, um modo simpático, desesperado ou humano de relacionar o impessoal com o pessoal; nos casos — ou no caso — de permitir juntar um problema pessoal (atraso, falta de dinheiro, ignorância das leis por falta de divulgação, confusão legal, ambigüidade do texto da lei, má vontade do agente da norma ou do usuário, injustiça da própria lei, feita para uma dada situação, mas aplicada universalmente etc.) com um problema impessoal. Em geral, o *jeito* é um modo pacífico e até mesmo legítimo de resolver tais problemas, provocando essa junção inteiramente casuística da lei com a pessoa que a está utilizando O processo é simples e até mesmo tocante. Consta de um drama em três atos que todos conhecem:

1º Ato: Uma pessoa que não é vista por ninguém, ignorada em razão de sua aparência e modo de apresentação, chega a um local para ser atendida por um servidor público que é uma autoridade e dela está imbuído. A autoridade não sabe quem é a pessoa que chegou e nem quer saber. Essa distinção entre a humildade de quem chega e a superioridade de quem está protegido pelo balcão da instituição é, aliás, um elemento forte na hierarquização das posições sociais. Pois bem, o humilde cidadão chega e pede o que deseja...

2º Ato: O funcionário custa a atender a solicitação. Diz que não pode ser assim e ainda complica mais as coisas, indicando as confusões do solicitante e as penalidades legais a que poderá estar sujeito. Cria-se, então, um impasse. Diante de um usuário honesto, há a opinião do funcionário que representa a lei e, por isso mesmo, não enxerga qualquer razão pessoal ou humana para tratar o solicitante de modo agradável. De fato, a lei, e o fato de ele ser o seu representante, cega-o completamente para essas razões humanitárias que decerto estabeleceriam e seriam parte e parcela de uma concepção de cidadania positiva, isto é, uma cidadania na qual os indivíduos têm os seus direitos assegurados e respeitados em todas as situações. Nessa situação, o solicitante não é nada. É apenas um *indivíduo qualquer* que, como um número, um caso complicado, um estorvo ou um requerimento, solicita algo. Temos aqui um *alguém que é ninguém*. Ele, obviamente, representa o humano e o pessoal numa situação impessoal e geral...

3º Ato: Diante do impasse — pois o funcionário diz que não pode e o cidadão deseja resolver o seu caso —, há a solução que denuncia e ajuda a ver o mapa de navegação social. Nos países igualitários, não há muita discussão: ou se pode fazer ou não se pode. No Brasil, porém, entre o "pode" e o "não pode", encontramos um "jeito". Na forma clássica do "jeitinho", solicita-se precisamente isso: um jeitinho que possa conciliar todos os interesses, criando uma relação aceitável entre o solicitante, o funcionário-autoridade e a lei universal. Geralmente, isso se dá quando as motivações profundas de ambas as partes são conhecidas; ou imediatamente, quando ambos descobrem um elo em comum. Tal elo pode ser banal (torcer pelo mesmo time) ou especial (um amigo comum, ou uma instituição pela qual ambos passaram ou, ainda, o fato de se ter nascido na mesma cidade...). A verdade é que a invocação da relação pessoal, da regionalidade, do gosto, da religião e de outros fatores externos àquela situação poderá provocar uma resolução satisfatória ou menos injusta. Essa é a forma típica do "jeitinho", e há pessoas especialistas nela.

Uma de suas primeiras regras é não usar o argumento igualmente autoritário, o que também pode ocorrer, mas que leva a um reforço da má vontade do funcionário. De fato, quando se deseja utilizar o argumento (ou melhor, contra-argumento) da autoridade contra o funcionário, o jeitinho é um ato de força que no Brasil é conhecido como o famoso e escondido "sabe com quem está falando?" Aqui, ao contrário do jeitinho e quase como o seu simétrico e inverso, não se busca uma igualdade simpática ou uma relação contínua com o agente da lei que está por trás do balcão. Mas, isso sim, busca-se uma hierarquização inapelável entre o usuário e o atendente. De tal modo que, diante do "não pode" do funcionário, encontra-se um "não pode do não pode" feito pela invocação do "sabe com quem está falando? Sou filho do Ministro!", e pronto!, gera-se logo um tremendo impasse autoritário que dependerá, para a sua solução, dos devidos trunfos de quem está implicado no drama.

De qualquer modo, um "jeito" foi dado. Uma forma de resolução foi obtida. E a ligação entre a lei e o caso concreto fica realizada satisfatoriamente para ambas as partes. "Jeitinho" e "você sabe com quem está falando?" são, pois, os dois pólos de uma mesma situação. Um é um modo harmonioso de resolver a disputa; o outro é um modo conflituoso e um tanto direto de realizar a mesma coisa. O "jeito" tem muito de cantada, de harmonização de interesses aparentemente opostos, tal como ocorre quando uma mulher encontra um homem e ambos, interessados num encontro romântico, devem discutir a forma que esse encontro deverá assumir. O "sabe com quem está falando?", por seu lado, afirma um estilo diferente, onde a autoridade é reafirmada, mas com a indicação de que o sistema é escalonado e não tem uma finalidade muito certa ou precisa. Há sempre outra autoridade, ainda mais alta, a quem se poderá recorrer. E assim as cartas são lançadas...

A *malandragem*, como outro nome para a forma de navegação social nacional, faz precisamente o mesmo. O malandro, portanto, seria um profissional do "jeitinho" e da arte de sobreviver nas situações mais difíceis. Aqui, também, temos esse relacionamento complexo e criativo entre o talento pessoal e as leis que engendram — no caso da malandragem — o uso de "expedientes", de "histórias" e de "contos-do-vigário", artifícios pessoais que nada mais são que modos engenhosos de tirar partido de certas situações, igualmente usando o argumento da lei ou da norma que vale para todos, como ocorre no conto da venda do bilhete de loteria premiado. Aqui, o malandro deseja vender um bilhete premiado pela quarta parte do seu preço justo e arma uma situação onde será fatalmente a vítima. Mas o fato é que o comprador é que será roubado. A situação se arma precisamente pelo uso abusivo e desonesto das listas oficiais da loteria (que legitimam o prêmio) e pelos deveres de parentesco, que obrigam, na história do malandro, a uma viagem inesperada donde a necessidade de vender um bilhete premiado. Nessa estrutura típica de um conto-do-vigário, nota-se a mesma contradição entre a impessoalidade da loteria e da sorte e a pessoalidade das relações pessoais que se dão em vários níveis. O drama reside precisamente no modo especial de conjugar o pessoa com o impessoal.

Do lado do malandro, e como o seu oposto social, temos a figura do *despachante*, esse especialista em entrar em contato com as repartições oficiais para a obtenção de documentos que normalmente implicam as confusões que mencionei linhas antes, ao descrever detalhadamente o "jeitinho". O despachante, como figura sociológica, só pode ser visto em sua enorme importância quando novamente nos damos conta dessa enorme dificuldade brasileira de juntar a lei com a realidade social diária. Assim, o despachante parece mais um padrinho. Tal como o padrinho, ele é um mediador entre a lei e uma pessoa. Do mesmo modo que um patrão deve dar emprego e boas condições de trabalho a seus empregados, o despachante deve guiar seus clientes pelos estreitos e perigosos meandros das repartições oficiais, fazendo com que sigam o caminho certo. Só que o despachante é um padrinho para baixo. Digo para baixo porque as classes média e alta do Brasil têm verdadeira aversão a tudo que a faça sentir-se como pessoa comum, indivíduo sujeito a rejeições e desagradáveis encontros com autoridades sem o menor traço de boa vontade. Assim, se não se tem um amigo ou uma relação que possa imediatamente facultar o "jeitinho", contrata-se um despachante, que realiza precisamente essa tarefa.

Por tudo isso, não há no Brasil quem não conheça a malandragem, que não é só um tipo de ação concreta situada entre a lei e a plena desonestidade, mas também, e sobretudo, é uma possibilidade de proceder socialmente, um modo tipicamente brasileiro de cumprir ordens absurdas, uma forma ou estilo de conciliar ordens impossíveis de serem cumpridas com situações específicas, e — também — um modo ambíguo de burlar as leis e as normas sociais mais gerais.

A possibilidade de agir como malandro se dá em todos os lugares. Mas há uma área onde certamente ela é privilegiada. Quero referir-me à região do prazer e da sensualidade, zona onde o malandro é o concretizador da boêmia e o sujeito especial da boa vida. Aquela existência que permite desejar o máximo de prazer e bem-estar, com um mínimo de trabalho e esforço. O malandro, então, conforme tenho acentuado em meus estudos, é uma personagem nacional. É um papel social que está à nossa disposição para ser vivido no momento em que acharmos que a lei pode ser esquecida ou até mesmo burlada com certa classe ou jeito. No Brasil, então, podemos ser caxias ou autoritários, como personagens típicos do mundo das leis e da ordem; podemos ser renunciadores e beatos que querem estar fora deste mundo, quando somos religiosos e pretendemos fundar um modo de existência paralelo; e podemos também ser malandros e jeitosos, políticos hábeis e sagazes, quando não enfrentamos a lei com a sua modificação ou rejeição frontal, mas apenas a dobramos ou simplesmente passamos por cima dela.

Quer dizer, tal como acontece com o seu modo de andar, o malandro é aquele que — como todos nós — sempre escolhe ficar no meio do caminho, juntando, de modo quase sempre humano, a lei, impessoal e impossível, com a amizade e a relação pessoal, que dizem que cada homem é um caso e cada caso deve ser tratado de modo especial.

Mas não ficamos somente nisso. Temos grandes arquétipos da malandragem, figuras que desenharam como ninguém o papel e o tipo. Gente como Pedro Malasartes, que foi capaz de realizar uma série de transformações impossíveis ao homem comum. Assim, ele superou a exploração econômica e política do seu trabalho, condenando o fazendeiro que o espoliava. Conseguiu também transformar a imobilidade da miséria numa venturosa vida de viajante sem pouso ou casa, situação de onde pode sempre enxergar tudo e ganhar novas experiências. Pedro Malasartes foi também capaz de proezas incríveis, como explorar os ricos, vender merda como se fosse riqueza e levar a honestidade ao meio de pessoas desonestas. Suas aventuras nos indicam que a vida contém sempre o bom e o mau, o lado humano e o desumano estando misturados de modo irremediável em todos e tudo. Assim, Pedro Malasartes, como todos os malandros, talvez nos diga que é preciso tomar consciência desses dois lados para poder escolher uma vida humanamente digna.

A malandragem, assim, não é simplesmente uma singularidade inconseqüente de todos nós, brasileiros. Ou uma revelação de cinismo e gosto pelo grosseiro e pelo desonesto. É muito mais que isso. De fato, trata-se mesmo de um modo — jeito ou estilo — profundamente original e brasileiro de viver, e às vezes sobreviver, num sistema em que a casa nem sempre fala com a rua e as leis formais da vida pública nada têm a ver com as boas regras da moralidade costumeira que governam a nossa honra, o respeito e, sobretudo, a lealdade que devemos aos amigos, aos parentes e aos compadres. Num mundo tão profundamente dividido, a malandragem e o "jeitinho" promovem uma esperança de tudo juntar numa totalidade harmoniosa e concreta. Essa é a sua importância, esse é o seu aceno. Aí está a sua razão de existir como valor social.

Antes de ser um acidente ou mero aspecto da vida social brasileira, coisa sem conseqüência, a malandragem é um modo possível de ser. Algo muito sério, contendo suas regras, espaços e paradoxos...

Isso está bem de acordo com o que nos disse Pero Vaz de Caminha, no finalzinho de sua carta histórica, fundadora do nosso modo de ser, depois de dar ao rei as maravilhosas notícias da terra brasileira. Ali, naquele pedaço terminal e naquela hora de arremate, Caminha arrisca, malandramente, o seguinte: "E nesta maneira, Senhor, dou aqui a Vossa Alteza conta do que nesta terra vi. E, se algum pouco me alonguei, Ela me perdoe, pois o desejo que tinha de tudo vos dizer, mo fez por assim pelo miúdo. E pois que, Senhor, é certo que, assim neste cargo que levo, como em outra qualquer coisa que de Vosso serviço for, Vossa Alteza há de ser de mim muito bem servida, a Ela peço que, por me fazer graça especial, mande vir da Ilha de São Tomé a Jorge de Osorio, meu genro — o que dela receberei em muita mercê."

E conclui Caminha, como até hoje manda o nosso figurino de malandragem: "Beijo as mãos de Vossa Alteza. Deste Porto Seguro de Vossa Ilha de Vera Cruz, hoje, sexta-feira, primeiro dia de maio de 1500. Pero Vaz de Caminha."

Será que é preciso dizer mais alguma coisa?

8

Os caminhos para Deus

Nós, brasileiros, marcamos certos espaços como referências especiais da nossa sociedade. A *casa*, onde moramos, comemos e dormimos — vivemos, enfim... A *rua*, onde trabalhamos e ganhamos a luta pela vida. A cada um desses espaços, onde convivemos com parentes, amigos e colegas de trabalho, devemos somar um outro, não menos referencial e crítico. Quero referir-me ao espaço do *outro mundo*, essa área demarcada por igrejas, capelas, ermidas, terreiros, centros espíritas, sinagogas, templos, cemitérios e tudo aquilo que faz parte e sinaliza as fronteiras entre o mundo em que vivemos e esse "outro mundo" onde, um dia, também iremos habitar. Esse mundo habitado por mortos, fantasmas, almas, santos, anjos, orixás, deuses, Deus, a Virgem Maria e Jesus Cristo, para onde todos vão e de onde ninguém retorna... ou pelo menos retorna com facilidade.

Se na *casa* e na *rua* utilizamos o idioma do dinheiro e a linguagem das cifras, dos números, dos salários, dos cálculos e das coisas práticas deste mundo, no universo da religião estamos muito mais interessados em conversar com Deus, com os santos, com a Virgem Maria e Jesus Cristo, e com toda a legião de entidades que ali habitam. Nosso modo de relacionamento aqui é diferente. Em vez de discursar, rezamos; em vez de ordenar, pedimos; em vez de simplesmente falar, como fazemos habitualmente, conjugamos a forma da mensagem com seu conteúdo, suplicamos. O modo de comunicação com o além e seus habitantes, assim, é formalizado e suplicante. Feito de preces, rezas e discursos onde se acentuam a cândida sinceridade, a honesta súplica, a nobre humildade e, naturalmente, a formidável promessa de renunciar ao mundo, com suas pompas e honras.

Existem formas de falar com o mundo de Deus que são solitárias e outras que são coletivas. Coletivamente, o modo mais comum é através da cantoria, onde a prece faz com que se juntem todos os pedidos num só, que deve "subir" aos céus levado pelas harmonias das vozes que o entoam. De fato, no nosso modo de conceber o espaço religioso, a linha vertical e hierarquizada, que relaciona o céu com a terra e o alto com o baixo, é algo dominante e crítico. O "alto", conforme sabemos muito bem, é tudo que é superior, tudo que deve ser mais nobre e mais forte, tudo que tem mais poder. É lá nessa esfera situada em cima que moram os anjos, os santos e todas as entidades que nos podem proteger e guiar os destinos. O "baixo" é a terra em que vivemos: vale de lágrimas onde sofremos, trabalhamos e finalmente morremos. A reza, a festividade religiosa e o canto propiciatório coletivo são meios de se chegar até essas regiões superiores, ligando o aqui e agora com o além e o infinito.

Seria até mesmo possível, nesta linha de abordagem, dizer que certas rezas — ou formas de comunicação com o sobrenatural — seriam mais fortes ou mais fracas que outras, tudo dentro da nossa lógica de gradação dominante. Assim, as formas que implicam o envolvimento da maioria dos sentidos seriam provavelmente mais fortes e irresistíveis aos santos, deuses e espíritos do que as modalidades em que apenas um sentido está envolvido. As formas individuais, por sua vez, seriam normalmente as mais fracas, embora a fé, a esperança e a caridade de cada um sejam também elementos importantes no atendimento de suas súplicas ou preces. Do mesmo modo, as súplicas acompanhadas de objetos, na forma de promessas, oferendas e sacrifícios, são naturalmente mais fortes que um simples pedido verbal, pois que elas implicam um ato de cometimento muito mais denso e dramático, às vezes exigindo o gasto de parcelas de dinheiro que são críticas em termos da economia doméstica e pessoal do ofertante. Além disso, a promessa é um pacto que obriga os dois lados a alguma ação positiva no sentido de resolver o problema apresentado. Se eu, assim, peço uma graça e logo em seguida me sacrifico com a oferta de algo precioso para o santo (ou santa) de minha devoção, a lógica social faz com que ele (ou ela) também se obrigue a resolver meu problema, atendendo cortesmente a minha súplica.

Tudo indica que o santo atende melhor e reconhece mais claramente o esforço dos mortais quando o pedido se faz de modo solene e respeitoso, com algum formalismo. As rezas e os pedidos, assim, "sobem" melhor quando há um sinal visível de comunicação com o alto; algo que cristalize essa ligação, como a fumaça do incenso ou as luzes das velas queimando...

Mas por que se fala com Deus? As respostas são muito variadas. Um fator sociológico básico, porém, é que existe a necessidade de construir esse grande espelho a que chamamos religião para dar a todos e a cada um de nós um sentimento de comunhão com o universo como um todo. A religião, assim, seria um modo de permitir uma relação globalizada não só com os deuses, mas também com todos os homens e com os seres vivos que formam o nosso mundo. Também pensamos na religião como um meio de explicação para os infortúnios — as coincidências negativas (como acidentes e doenças) — , pois a religião pode explicar por que uma pessoa ligada a nós ficou doente, sofreu um acidente fatal ou é vítima indefesa e gratuita de desesperadora aflição. A religião, nesse sentido, apresentaria a possibilidade de resgatar a indiferença do mundo, e das coisas do mundo, relativamente à nossa consciência e à sua necessidade de dar um sentido preciso a tudo, ordenando a vida e as relações entre as coisas da vida. Falamos também de religião quando estamos pensando no modo pelo qual a sociedade precisa legitimar ou justificar a sua organização, a sua maneira de ser e os seus estilos de fazer. Assim, a religião pode explicar também por que existem ricos e pobres, fortes e fracos, doentes e sãos, dando sentido pleno às diferenciações de poder que percebemos como parte do nosso mundo social. Assim como há uma diferenciação no Céu, haveria também uma diferenciação na terra, muito embora, aos olhos do Criador, todos sejam singulares e amados igualmente. Nesse sentido, ou melhor, em todos esses sentidos, a religião serve para explicar — e certamente o faz de modo mais satisfatório que a filosofia ou a ciência, pois há sofrimento, doença, calamidade, injustiça e aflição neste mundo. E mais: ela pode até mesmo dizer por que certa pessoa está sofrendo o que sofre, o que não deixa de ser enorme consolo para quem vive e acompanha a aflição. Num certo sentido, portanto, a religião oferece respostas a perguntas que, rigorosamente, não podem ser respondidas pela ciência ou pela tecnologia.

Mas, além disso, a religião marca e ajuda a fixar momentos importantes na vida de todos nós. Desse modo, nascimentos, batizados, crismas, comunhões, casamentos e funerais — todos os momentos que assinalam dramaticamente uma crise de vida e uma passagem na escala da existência social — são marcados pela presença da religião, que legitima com o aval divino ou sobrenatural uma passagem que se deseja necessária; algo que esteja inscrito, não apenas numa convenção inventada pelos homens, mas no próprio projeto

Essas formas de marcar entradas e saídas do universo religioso são em geral dramáticas, exigindo ritos especiais e trabalhados que operam como mediadores. Tal como acontece no nosso conhecido ritual do batismo, em que a criança entra na Igreja Católica e, ao mesmo tempo, na sociedade, ganhando simultaneamente "pais adotivos" que reforçam, como padrinhos, suas obrigações como ser social. Assim, embora a pessoa seja concebida por genitores (os seus pais biológicos), há uma exigência de padrinhos (ou pais sociais) para que ela possa penetrar no cerne da vida social, o que, no mundo católico, se realiza através da Igreja e do ritual apropriado do batismo. O mesmo ocorre num casamento, onde também existem padrinhos — mediadores — marcando e indicando que a cerimônia é algo público, algo definitivamente social.

Todos esses aspectos formam aquilo a que chamamos religião num sentido amplo. A palavra, como se sabe, vem do latim e tem, no sentido original, a idéia de laço, aliança, pacto, contrato e relação que deve nortear os elos entre deuses e homens e, por isso mesmo, dos homens entre si. Mas, além desses aspectos, a religião é um modo de ordenar o mundo, facultando nossa compreensão para coisas muito complexas, como a idéia de tempo, a idéia de eterno e a idéia de perda e desaparecimento, esses mistérios perenes da existência humana. Pode-se dizer, nessa perspectiva, que o homem é o único ser que tem consciência de sua própria morte e, por isso mesmo, tem enorme e definitiva necessidade de domesticar o tempo e de problematizar a eternidade.

Mas como se chega a Deus no Brasil?

Aqui, como em outros lugares, temos uma religião dominante e que até bem pouco tempo (até 1890, para ser preciso) foi oficial. Trata-se, conforme sabemos, do Catolicismo Romano, denominação religiosa formadora da própria sociedade brasileira e, naturalmente, de um conjunto de valores que são essenciais no Brasil. Naturalmente que tal forma de denominação religiosa é acompanhada de outras que a ela estão referidas, mas que dela se diferenciam por meio do culto, da teologia, do tipo de sacerdócio e de atitudes gerais. A variedade de experiências religiosas brasileiras é, assim, ao mesmo tempo, ampla e limitada. É ampla porque, ao Catolicismo Romano e às várias denominações Protestantes, somam-se outras variedades de religiões Ocidentais e Orientais, além das variedades brasileiras de cultos de possessão cuja tradição é uma constelação variada de valores e concepções. De um lado, existe incontestavelmente a África dos escravos, com seus terreiros, tambores, idiomas secretos, orixás e ritos de sacrifício, onde as coisas pertencem ao mundo do sensível. Do outro, há o Espiritismo kardecista, em que o culto dos mortos é uma forma dominante e o ritual se faz sem cantos nem tambores. Se nas chamadas religiões Afro-Brasileiras e no Espiritismo, a relação e o culto dos mortos, o contato com os deuses (orixás) é algo rotineiro, se entre a Umbanda e o Kardecismo existem também crenças em encarnação e na teoria do Karma (que vem da Índia), há igualmente diferenças entre todas essas formas, já que na Umbanda o contato é muito mais com os deuses do que com os espíritos desencarnados dos mortos. Por outro lado, o Espiritismo considera-se codificado, ao passo que a Umbanda é uma religião sem codificação e com uma teologia aberta a muitas variações.

Mas, apesar de todas essas diferenças, a variedade é limitada, porque essas formas mais diversas coexistem tendo como ponto focal a idéia de *relação* e a possibilidade de comunicação entre homens e deuses, homens e espíritos, homens e ancestrais. Ou seja: em todas as formas de religiosidade brasileiras, há uma enorme e densa ênfase na relação entre este mundo e o outro, de modo que a domesticação da morte e do tempo é elemento fundamental em todas essas variedades ou jeitos de se chegar a Deus.

Por outro lado, a forma pela qual essa comunicação se realiza é sempre através de um elo pessoal. Nós, brasileiros, temos intimidade com certos santos que são nossos protetores e padroeiros, nossos santos patrões; do mesmo modo que temos como guias certos orixás ou espíritos do além, que são nossos protetores. A relação pode ter forma diferenciada, mas a sua lógica estrutural é a mesma. Em todos os casos, a relação existe e é pessoal, isto é, fundada na simpatia e na lealdade dos representantes deste mundo e do outro. Somos fiéis devotos de santos e também cavalos de santo de orixás, e com cada um deles nos entendemos muito bem pela linguagem direta da patronagem ou do patrocínio místico — por meio de preces, promessas, oferendas, despachos, súplicas e obrigações que, a despeito de diferenças aparentes, constituem uma linguagem ou código de comunicação com o além que é obviamente comum e brasileira.

Do mesmo modo que temos pais, padrinhos e patrões, temos também entidades sobrenaturais que nos protegem. E elas podem ser de duas tradições religiosas aparentemente divergentes. Isso realmente não importa. O que para um norte-americano calvinista, um inglês puritano ou um francês católico seria sinal de superstição e até mesmo de cinismo ou ignorância, para nós é modo de ampliar as nossas possibilidades de proteção. É também, penso, um modo de enfatizar essa enorme e comovente fé que todos nós temos no sentido e na eternidade da vida. Assim, essas experiências religiosas são todas complementares entre si, nunca mutuamente excludentes. O que uma delas fornece em excesso, a outra nega. E o que uma permite, a outra pode proibir. O que uma intelectualiza, a outra traduz num código de sensual devoção. Aqui também nós, brasileiros, buscamos o ambíguo e a relação entre esse mundo e o outro.

O que pode parecer singular no caso brasileiro, então, é que cada uma dessas formas de religiosidade seja suplementar às outras, mantendo com elas uma relação de plena complementaridade. Assim, a Igreja Romana costura e dá sentido ao mundo e às experiências humanas pelo seu ângulo externo e formal, sendo acionada para legitimar importantes crises de vida, como o casamento, o batizado, o nascimento e a morte. A Igreja, assim, é uma forma básica de religião, marcando talvez o lado impessoal de nossas relações com Deus. Um lado, de fato, onde a intimidade eventualmente pode ceder lugar às regras fixas que conduzem a uma impessoalidade, sobretudo nos cultos que legitimam de qualquer modo as crises de vida.

Mas, ao lado dessas formas impessoais e mais politizadas e socialmente aceitas de comportamento religioso, existem formas pessoais de ligação com o outro mundo. Formas e estilos, vale destacar, que são tão populares como o milagre.

Realmente, que é o milagre senão uma resposta dos deuses a uma súplica desesperada dos homens, na forma de um atendimento pessoal e intransferível? O milagre é prova de um ciclo de troca que envolve pessoas e entidades sobrenaturais na forma de desejos, motivações, sentimentos e vários objetos, alguns inclusive com a forma da parte que foi curada — prova cabal da realização do milagre ou da graça, finalmente, obtida. Essa pessoalidade existente no catolicismo popular, como vemos, é singular. Ela parece produzir, no plano religioso, essa enorme ênfase nas relações pessoais que dão um sentido profundo ao nosso mundo social.

Tudo isso revela que é clara essa forma de comunicação familiar e íntima, direta e pessoal entre homens e deuses no caso brasileiro. Assim, em vez de opor a religião popular à religião oficial, ou erudita, será melhor entender que suas relações são complementares. Como as vertentes de um mesmo rio ou as duas faces de uma mesma moeda. Desse modo, o oficial contém tudo o que pode legalizar, atuando a partir de fora. Mas o popular contém todas as formas que lidam com as emoções em estado vivo, atuando por dentro. Nessa modalidade, sentimentos e idéias ligam-se em dramas visíveis e concretos, muito diferentes das formas eruditas de religiosidade, onde o culto salienta uma comunicação disciplinada e oficial com a divindade. Num caso, a relação com Deus é, por assim dizer, "limpa": trata-se de uma comunicação educada.

No outro, a comunicação é sensível, concreta e dramática. O milagre, para nós, brasileiros, é a não-exclusão de qualquer dessas formas como necessárias à vida religiosa. Mas a adoção de ambas como modos legítimos de se chegar a Deus.

Assim, se no Natal vamos sempre à Missa do Galo, no dia 31 de dezembro vamos todos à praia vestidos de branco, festejar o nosso orixá ou receber os bons fluidos da atmosfera de esperança que lá se forma. Somos todos mentirosos? Claro que não! Somos, isso sim, profundamente religiosos.

Realmente, se o mundo real exige um comportamento coerente e uma conduta marcada pela exclusividade (não posso ter dois sexos, nem duas mulheres, nem duas cidadanias, nem dois partidos políticos ao mesmo tempo...), no caminho para Deus, e na relação com o *outro mundo*, posso juntar muita coisa. Nele, posso ser católico e umbandista, devoto de Ogum e de São Jorge. Posso juntar, somar, relacionar coisas que tradicional e oficialmente as autoridades apresentam como diferenciadas ao extremo. Tudo aqui se junta e se torna sincrético, revelando talvez que, no sobrenatural, nada é impossível. A linguagem religiosa do nosso país é, pois, uma linguagem da relação e da ligação. Um idioma que busca o meio-termo, o meio caminho, a possibilidade de salvar todo o mundo e de em todos os locais encontrar alguma coisa boa e digna. Uma linguagem, de fato, que permite a um povo destituído de tudo, que não consegue comunicar-se com seus representantes legais, falar, ser ouvido e receber os deuses em seu próprio corpo.

Somos um povo que acredita profundamente num outro mundo. E o outro mundo brasileiro é um plano onde tudo pode, finalmente, fazer sentido. Lá, não haveria mais sofrimento, miséria, poder e impessoalidades desumanas. Todos seriam reconhecidos como pessoas e, ao mesmo tempo, leis universais — como a lei da generosidade e a do eterno retorno: quem dá recebe e quem faz algum mal recebe de volta esse mal — seriam válidas para todos. Todos teriam valor, porque o valor não seria dado na formalidade ou no sexo, mas na fé e na sinceridade de cada um e de todos. O outro mundo tem muitas formas e são vários os caminhos de se chegar até ele no Brasil. Mas, por detrás de todas as diferenças, sabemos que lá, nesse céu à brasileira, é possível uma relação perfeita de todos os espaços. Essa, pelo menos, é a esperança que se imprime nas formas mais populares de religiosidade...

Palavras finais

Seria possível concluir um livro cuja motivação maior foi sugerir uma certa leitura do Brasil? Claro que não. Seria possível, por outro lado, alinhavar certas lições que o caso brasileiro ensina? Algo como a busca de uma ética para essa história que contamos brevemente nas páginas anteriores? Claro que sim.

Ao longo deste pequeno ensaio, demonstramos que a sociedade brasileira não poderia ser entendida de modo unitário, na base de uma só causa ou de um só princípio social. Ao contrário, dos domínios que tomamos para estudo e investigação, todos se revelaram como que possuídos por uma lógica comum. Uma lógica que chamei de relacional e que na política aparece com o nome de negociação e conciliação. Que no mundo econômico surge na curiosa combinação de uma economia altamente estatizada com uma iniciativa privada vigorosa e ainda importante. Que na religião aparece com a intrigante mistura de catolicismo com religiões afro-populares. E que na cosmologia em geral — e aqui estou pensando na literatura popular e erudita do Brasil — aparece sob uma certa ânsia de criar personagens intermediários, gente que pode permitir a conciliação de tudo o que a sociedade mantém irremediavelmente dividido por um movimento inconsciente.

Por que isso é assim? Minha resposta indica que o Brasil é uma sociedade interessante. Ela é moderna e tradicional. Combinou, no seu curso histórico e social, o indivíduo e a pessoa, a família e a classe social, a religião e as formas econômicas mais modernas. Tudo isso faz surgir um sistema com espaços internos muito bem divididos e que, por isso mesmo, não permitem qualquer código hegemônico ou dominante. Assim, conforme tive que repetir inúmeras vezes, somos uma pessoa em casa, outra na rua e ainda outra no outro mundo. Mudamos nesses espaços de modo obrigatório porque em cada um deles somos submetidos a valores e visões de mundo diferenciados que permitem uma leitura especial do Brasil como um todo. A esfera de casa inventa uma leitura pessoal; a da rua, uma leitura universal. Já a visão pelo outro mundo é um discurso conciliador e fundamentalmente moralista e esperançoso. Entre essas três esferas, colocamos um mundo de relações e situações formais. São as nossas festas e a nossa moralidade, que, como disse, se fundam na verdadeira obsessão pela ligação. E não poderia deixar de ser assim numa sociedade tão tematizada pela divisão interna.

Mas qual é, afinal, a moral desta história? Não será preciso ir muito longe para apreciá-la. A História do Brasil tem mostrado como sempre insistimos em "ler" e interpretar o país pela via exclusiva da linguagem oficial que se forma no espaço generalizado da rua, espaço das nossas instituições públicas e que sempre apresenta um discurso politicamente sedutor, pois que sistematicamente normativo. Ou seja: desse ponto de vista, a fala sempre diz o que fazer para resolver a questão. Mas não é precisamente isso que temos feito em toda a nossa História moderna, a partir da Independência e da República? E por que as coisas não dão certo?

Só Deus pode saber isso precisamente. Mas a visão antropológica, da qual este ensaio é um pequeno exemplo, permite que se discutam algumas coisas importantes para uma resposta sugestiva a essa pergunta. É possível, por exemplo, argumentar que nada pode dar certo se a crítica social e política é sempre incompleta, pois só leva em consideração um dado da questão. De fato, como se pode corrigir o mundo público brasileiro por meio de leis impessoais, se não se faz simultaneamente uma série crítica das redes de amizade e compadrio que embebem toda a nossa vida política, institucional e jurídica? Nosso resultado, então, é que, à crítica prática que fala com o idioma da economia e da política pelo mundo da rua, seria preciso somar a linguagem da casa e da família e, com ela, o idioma dos valores religiosos que também operam e, por isso, determinam grande parte do comportamento profundo do nosso povo. Tudo isso, diria eu, no sentido de somar um pouco mais a casa, a rua e o outro mundo, aproximando um pouco mais essas esferas.

Junto com isso, que certamente importaria corrigir, seria necessário resgatar como coisa altamente positiva, como patrimônio realmente invejável, toda essa nossa capacidade de sintetizar, relacionar e conciliar, criando com isso zonas e valores ligados à alegria, ao futuro e à esperança. Num mundo que cada vez mais se desencanta consigo mesmo e institui um individualismo sem limites, que reduz os valores coletivos a mero apêndice da felicidade pessoal, a capacidade de ainda deslumbrar-se com a sociedade é algo muito importante, algo positivo. E aqui, sem dúvida, podemos novamente sintetizar, de modo criativo e relacional, o indivíduo com as suas exigências e direitos fundamentais, com a sociedade, com a sua ordem, seus valores e necessidades. Talvez a sociedade brasileira seja missionária dessa possibilidade que já se está esgotando no mundo ocidental. E por quê? Simplesmente porque conseguimos, até agora, manter nossa fé no indivíduo, com os seus espaços internos e também na sociedade, com as suas leis de complementaridade e reciprocidade. Descobrimos também que o indivíduo, relações, família e partido político, instituições econômicas e esferas de produção e consumo, tudo pode ter o seu espaço. Se hoje eles estão muito separados entre si, isso não significa a impossibilidade de se juntarem mais no futuro, na síntese positiva que atualmente só realizamos no mundo das festas, sobretudo no carnaval.

Seria preciso carnavalizar um pouco mais a sociedade como um todo, introduzindo os valores dessa festa relacional em outras esferas de nossa vida social. Com isso, poderíamos finalmente aprofundar as possibilidades de mediação de que, estou seguro, o mundo contemporâneo tanto precisa. Nem tanto o desencanto crítico que conduz a um primado cego do individualismo como valor absoluto; e nem tanto o primado igualmente cego da sociedade e do coletivo, que esmaga a criatividade humana e sufoca o conflito e a chama das contribuições pessoais. Talvez algo no meio. Algo que permita ter um pouco mais da casa na rua e da rua na casa. Algo que permita ter aqui, neste mundo, as esperanças que temos no outro. Algo que permita fazer do mundo diário, com seu trabalho duro e sua falta de recursos, uma espécie de carnaval que inventa a esperança de dias melhores.

Acho que é um pouco desse tipo de reflexão que nos falta. E, para que ela possa ser ampliada, discutida, corrigida e finalmente implementada como mecanismo social, precisamos realizar a crítica destemida de nós mesmos, por meio de instrumentos suficientemente agudos e capazes. Para tanto, será preciso começar sempre com a pergunta: o que faz o brasil, Brasil? E, em seguida, promover sua resposta, ainda que tímida, imprecisa e certamente discutível. Pois não foi outra coisa que quisemos realizar aqui.

Jardim Ubá, junho de 1984

Roberto DaMatta por ele mesmo

Meu nome completo é Roberto Augusto da Matta e tive muito encabulamento com essa marca de família porque na escola eu sempre virava o "roberto mata" e todo mundo queria saber quem eram as vítimas. Tímido e calado, reprimido por autoprojeto de perfeição e santidade, cheguei até mesmo a pensar em ser padre. Esse plano durou até nossa saída de Juiz de Fora para São João Nepomuceno, onde conheci o esporte, os bailes da primavera, os amigos do peito e as primeiras namoradas. Nasci, porém, em Niterói, em 1936, onde moro até hoje, pensando que Niterói é uma cidade especial que confere a alguns dos seus moradores esse mistério de uma associação periférica com o Rio de Janeiro dos grandes acontecimentos, mas que situa a todos numa espécie de meia-distância crítica de tudo. Essa é uma posição antropológica por excelência que, suponho, seja também a marca de outros niteroienses sensíveis, gente como Sergio Mendes e Walter Lima Jr.... Em Niterói enterrei meu coração e o renovei quando conheci minha mulher, Celeste, numa tarde bonita de vestibular num pátio sombreado da, então, Faculdade Fluminense de Filosofia, onde ambos cursamos um bacharelato de História. Em Niterói também fiz minha casa, nasceram meus filhos e foi onde me descobri professor-pesquisador. É desta base que saio todos os anos para lecionar em outros centros do Brasil e do exterior.

Minhas primeiras aspirações intelectuais foram na área das artes. Queria ser pintor e desenhista; depois, escritor. Aprendendo seriamente as Ciências Sociais, descobri que seria possível conciliar o desejo de inventar com o comentário realístico e inteligente das motivações e relações humanas. Fiquei interessado em Antropologia Cultural ou Social porque estava sempre fascinado com a semelhança e a diferenças entre os homens e as sociedades. Logo em 1959, quando tinha 23 anos, iniciei um estágio profissional no Departamento de Antropologia do Museu Nacional, na Quinta da Boa Vista, de onde jamais saí. De estagiário passei a bolsista e, depois, a pesquisador e professor, tendo contribuído naquela instituição com um bocado do meu sangue, suor e lágrimas para a fixação definitiva do seu hoje conhecido Programa de Pós-Graduação em Antropologia Social do qual fui Coordenador durante alguns anos, aqueles anos duros da repressão dos novecentos e setenta. Fui também, nesta mesma época, Chefe do Departamento, papel que me deixou muitas vezes a matutar no meu pendor inusitado a um certo masoquismo. Mas mesmo envolvido na mais densa e cruel selva administrativa, não deixei de lado minhas fontes de serenidade e inspiração e continuei realizando pesquisas e publicando livros. Neste Museu Nacional tenho orientado inúmeras teses de mestrado e doutorado e dado aulas, cursos e seminários.

Sempre li entre fascinado e respeitoso os clássicos do pensamento sociológico francês, alemão e inglês. No início dos anos 60, já iniciando os meus primeiros passos como profissional de antropologia, tive dois encontros importantes. Um deles com a América do Norte, via Universidade de Harvard. O outro, com a Antropologia Social na sua prática de campo, por meio dos índios Gaviões e Apinayé do Brasil Central. Por meio desta associação, realizei pesquisas acadêmicas e teóricas, imaginando por um momento um futuro trancado na "ciência" e no "saber". Mas a distância do Brasil a que a experiência norte-americana me conduziu fez-me um observador crítico da sociedade brasileira e seus costumes, iniciando-me como pesquisador e comentador de minha própria sociedade Assim é que meu primeiro livro individual, *Ensaios de Antropologia Social* (Vozes), é marcado pela diversidade de interesses de quem estava como que buscando um objeto definitivo de trabalho. Ali, naquele pequeno volume de ensaios, eu falo de mitologia indígena, encaro uma crítica literária a nada menos que Edgar Alan Poe, discuto o problema da má-sorte na Amazônia e pela primeira vez abordo o carnaval dentro de uma perspectiva antropológica. Isso é muito diverso do meu primeiro livro, *Índios e castanheiros* (Paz e Terra), escrito a quatro mãos com Roque Laraia, que é relato descritivo de uma situação de contato intercultural onde os índios, conforme se sabe, têm levado sistematicamente a pior Se ali eu tinha um objeto apaixonado de discurso, no outro livro eu estava buscando o Brasil. Meu terceiro livro é o resultado do trabalho acadêmico desenvolvido durante dez anos no Museu e em Harvard. É o livro *Um mundo dividido: a estrutura social dos índios Apinayé* (Vozes), que também foi traduzido e publicado em inglês pela Harvard Univ. Press. Meu quarto livro é o ensaio *Carnavais, malandros e heróis: para uma sociologia do dilema brasileiro* (Zahar) — traduzido para o francês —, onde decidi retomar o ensaio como instrumento de interpretação do Brasil. Em seguida a ele, publiquei *Universo do carnaval: imagens e reflexões* (Pinakhoteke); organizei *Universo do futebol* (Pinakhoteke) e *E.R. Leach* (Ática); e escrevi uma introdução à Antropologia Social chamada *Relativizando* (Vozes), que tem tido uma acolhida generosa entre estudiosos e estudantes de Antropologia no Brasil e no exterior. Ao lado destes livros, tenho feito muitos artigos e ensaios que vão da violência à sexualidade no Brasil. Hoje fico cada dia mais certo de que a Antropologia Social é também um código literário e que só nos faltam a ousadia temática e aquela capacidade de observação e articulação que, de resto, os grandes mestres da Etnologia do passado tinham. Afinal, o prêmio não é somente pela prática da "ciência", mas pela perseverança em praticá-la, sempre, mesmo vivendo num mundo que nos leva para todos os lugares...

Recentemente iniciei uma experiência na televisão escrevendo e apresentando a série *Os brasileiros*.

R. DaMatta
Niterói, Jardim Ubá, Agosto de 1984.

A propósito do ilustrador

Jimmy Scott nasceu em 5 de janeiro de 1936, em Santiago do Chile. Prepara-se para ser técnico industrial. Muda rumos e ingressa na Faculdade de Belas-Artes da Universidade do Chile, onde estuda Artes Plásticas. Seu começo profissional na ilustração foi em 1958, ao publicar seus primeiros trabalhos na revista infantil *El Peneca* e, logo depois, na revista de humor político *Topaze*, duas publicações tradicionais do Chile, hoje desaparecidas, que divulgaram largamente seu traço. Os convites sucederam-se e em pouco tempo suas charges e caricaturas apareciam em diversos jornais e revistas de Santiago e Concepción. Ilustrou textos didáticos para a Librairie Française e Editorial Universitaria de Santiago. Chega ao Brasil em 1970. Até 1979 é contratado pela AGGS Indústrias Gráficas. Hoje divide seu tempo entre algumas editoras, o jornal *O Globo*, e a publicidade.